Cocina *vital* anti-envejecimiento

Comer de forma consciente para mantenerse joven

AUTORES: DR. STEPHAN BISCHOFF Y MONIKA SCHUSTER

Índice

Recetas

Para consultar

Comer de forma saludable

El placer que aportan es el mejor ingrediente de las comidas y las bebidas saludables. Así, la alimentación diaria se convierte en un acontecimiento que satisface los sentidos y es enriquecedor e inspirador.

No existe casi ningún aspecto de la vida cotidiana que esté organizado de forma tan variada, que se analice con mayor precisión y que, al mismo tiempo, produzca un efecto tan intenso en la salud y en el bienestar como ocurre con nuestra alimentación. En los círculos especializados, en la actualidad la medicina nutricional es considerada como una clave decisiva para la salud y una buena calidad vital, así como para una prolongada esperanza de vida. Una alimentación consciente sirve de forma muy natural y efectiva para retrasar el proceso de envejecimiento. Sin embargo, una alimentación cotidiana saludable no resulta tan sencilla de conseguir como se pudiera pensar: no siempre se dispone de abundantes alimentos a buen precio, y las creaciones de la industria alimentaria, con sus grandiosas promesas en cuanto a salud y bienestar, hacen en ocasiones que resulte complicado combinarlas para que estemos objetivamente abastecidos de sustancias vitales y, al mismo tiempo, satisfechos desde un punto de vista culinario.

Un paseo por el mercado es un placer para los sentidos y nos anticipa la ilusión de degustar una comida recién preparada.

¿Es cierto que el ser humano es lo que come?

Todo lo que comemos y bebemos afecta de inmediato a nuestra capacidad de rendimiento, a la vitalidad, al aspecto físico y también, y en grado muy apreciable, a nuestro estado anímico. En este sentido, el dicho de que los seres humanos son lo que comen no ha perdido nada en cuanto a vigencia y actualidad. El hecho es que en la selección y la preparación de nuestros alimentos se esconde una organización muy especial con un enorme espectro de efectos. Hace ya mucho tiempo que en una comida no sólo juegan un papel decisivo el contenido de los diversos ingredientes que se conjugan en el plato. El punto crucial está en las fragancias y los olores, en el sabor, en la consistencia y, no en último lugar, en la presentación del plato. Todo en conjunto tiene que resultar agradable para los sentidos del que lo consume y en el mejor de los casos deberá conseguir que disfrute.

Calidad antes que cantidad

Desde el punto de vista médico, una comida sana y el placer que proporciona deben ir unidos a primera vista. Aunque la comida tenga un buen sabor, si está preparada de forma poco saludable y se consume en grandes canti-

Quien quiera disfrutar de la carne como corresponde, lo mejor que puede hacer es recurrir a los comercios ecológicos con cría de animales adaptada a la especie.

dades, acelera el proceso de envejecimiento y puede hacernos engordar y enfermar.

Comida: una experiencia global

Las impresiones de los sentidos hacen que la comida sea una experiencia global; además de mantenerse unidos, el cuerpo y el espíritu se benefician de forma mutua. Una alimentación sensata mantiene a largo plazo la salud y la vitalidad física y también se encarga de que cada día surjan extraordinarias vivencias de placer y felicidad.

Por lo tanto, no es casualidad que muchos médicos y asesores nutricionistas prediquen el arte de la omisión y la automortificación. Visto desde esa perspectiva, una comida sana significa en primer lugar una privación. Sin embargo, se ha comprobado a través de numerosos estudios que tales tipos de dieta no ofrecen en absoluto unos efectos positivos, sino todo lo contrario, pues en ocasiones acarrean un aumento de peso no deseado. En la mayoría de los programas de adelgazamiento o de cambios de alimentación se trata tan sólo de una serie de diversas formas de alimentación defectuosa, algunas de las cuales incluso pueden resultar peligrosas para la salud.
El objetivo de este libro es entender el valioso potencial que conlleva una alimentación preparada de forma inteligente y poderla aprovechar de la mejor manera posible. Los estudios actuales muestran lo importante que resulta este tipo de alimentación para las personas de edad madura. De ese modo, a partir de los cincuenta años se suele necesitar, por regla general, una alimentación menos energética, aunque se mantiene la necesidad de sustancias nutritivas que son de vital importancia, y éstas se esconden tras una alimentación de primera calidad.

Comer con sensatez y mantenerse joven

Es posible influir de forma positiva en todos nuestros órganos y tejidos vitales. Así se puede conseguir retardar de forma muy efectiva los procesos de envejecimiento y desgaste. Y, además, nunca es tarde para aprender cosas referentes a la comida y la bebida. No se trata tan sólo del efecto rejuvenecedor de una alimentación saludable. Al fin y al cabo, en la actualidad se sabe que un cambio de alimentación puede, por ejemplo, disminuir de forma drástica el riesgo de padecer afecciones cardiocirculatorias o diabetes. Con la ayuda de una panorámica sobre los hechos más destacados de la medicina nutricional moderna se podrá comprobar de inmediato la forma en que actúan una comida y bebida sanas en el ámbito de nuestra vida diaria y de qué modo podemos lograrlo con poco esfuerzo y mucho placer. Nos enteraremos del modo en que determinados órganos, como el corazón y el aparato circulatorio, la musculatura y el esqueleto, reaccionan ante determinados nutrientes y cómo es posible, con total sencillez, aplicar esos conocimientos en beneficio de nuestra propia salud y vitalidad.

Satisfacción del paladar para mayor vitalidad

Para que podamos ver que alimentarse de forma saludable también puede proporcionarnos muchas alegrías, a todos los preparativos y las recetas se les ha procurado aportar una elevada calidad culinaria. La renombrada jefa de cocina Monika Schuster, de Munich, ha preparado todas las recetas de tal forma que una serie de magníficas sustancias se combine para lograr un elevado placer para el paladar. Todos los platos son sencillos de cocinar y, al mismo tiempo, resultan apropiados tanto para el día a día como para atender a los invitados. Porque para asegurar el placer de la degustación hay que aprender a interiorizar los principios de una comida inteligente.
¡Os deseamos buen apetito, salud estable y, sobre todo, mucha diversión al cocinar!

Stephan Bischoff

Antiedad natural: ¿existe de verdad?

Envejecer no es otra cosa que un proceso de transformación y cambio dentro de una vida, en la que la transición entre sus diversas fases debe transcurrir de forma lenta y fluida. Lo mayores que podamos ser no depende de ninguna forma de nuestra fecha de nacimiento o del tiempo que hayamos vivido. Son muy pocos los casos en que la edad biológica se corresponde con la vital. A pesar de todo, está claro que esa edad biológica se acusa en el estado de envejecimiento de nuestro organismo, aunque tal circunstancia se muestre de forma muy diversa en cada una de las personas. Una piel tersa combinada con una figura esbelta y una conducta de gran vitalidad siempre provoca un efecto de juventud y puede hacer que una persona de sesenta años se quite de encima de diez a quince. Por el contrario, unas arrugas precoces y un aumento incontrolado de kilos a lo largo de los años pueden tener un efecto contrario y que una persona de treinta años aparente mucha más edad de la que tiene.

¿Cuándo comienza la vejez?

Existe una larga serie de subdivisiones y denominaciones para el amplio y poco homogéneo grupo de las denominadas «personas maduras». Abarca desde unos vitales sesenta y cinco años y alcanza hasta los cien. La Organización Mundial de la Salud (OMS) los subdivide de acuerdo con los siguientes criterios:

51–60 años	personas maduras
61–75 años	personas ancianas jóvenes
76–90 años	personas ancianas
91–100 años	personas muy ancianas

Se habla de que la edad biológica es más bien una edad «sentida», ya que será nuestra predisposición interna ante la vida la que marque lo mayores o jóvenes que nos sintamos. Además de estos factores anímicos y mentales, también juegan un papel importante las condiciones físicas previas, la salud de la persona y, de forma muy especial, el estado de sus vasos sanguíneos.

Factores que influyen en nuestra edad

› **Años de vida:** determinación de la edad por el calendario de acuerdo con nuestra fecha de nacimiento.

› **Herencia:** existen también determinados genes que son responsables de la evolución del proceso de envejecimiento de una persona. Los científicos estiman que en esa cuestión están implicados unos 7.000 genes. Además, se han descubierto dos «relojes biológicos» que determinan la edad vital: los llamados telómeros (pequeñas porciones al final de cada cromosoma) y el propio metabolismo. De esa forma, cada ser vivo está programado para un rendimiento determinado del metabolismo.

› **Estilo de vida:** el estilo de vida es la suma de factores externos a través de los cuales nosotros, de forma consciente, podemos influir en nuestra salud, nuestro bienestar y también en el proceso de envejecimiento. Entre ellas encontramos sobre todo:

- evitar el sobrepeso,
- bajo consumo de alcohol,
- ejercicio físico regular,
- suprimir el consumo de nicotina,
- contactos sociales positivos,
- estabilidad física general.

Todos estos factores provienen de un estudio actual y son válidos de forma general.

Nosotros podemos actuar de forma activa sobre todos esos aspectos. No seremos capaces de modificar nuestros genes, pero sí que podemos influir con cierto margen de posibilidades en la secuencia de nuestros hábitos de vida. Esto se refiere en especial a nuestra actitud en lo referente a la comida y la bebida, además del placer y los beneficios que nos pueden aportar.

Envejecimiento: un proceso natural

Envejecer es un proceso natural que comienza para cada ser vivo en el momento en que nace. ¿Qué significa eso en cuanto a nuestro cuerpo y nuestro bienestar? En la actualidad se sabe que la edad biológica de una persona no es una medida absoluta, pues los diversos órganos del cuerpo envejecen de forma muy distinta. En el aspecto exterior se puede percibir por el tamaño del cuerpo, la postura, la forma de caminar, la elasticidad y el tono de la piel, así como por el color del pelo. También a edades elevadas se dispone de un rendimiento más bajo en los órganos de los sentidos: no vemos, hablamos, oímos ni saboreamos igual que antes. Se modifica la composición de nuestro cuerpo. Desciende el contenido de agua y también se reduce la masa muscular, al tiempo que se eleva el volumen de materia de grasa. De esa forma disminuye el denominado metabolismo basal y precisamos de menos energía en forma de calorías. Por ejemplo, una mujer de entre veinticinco a cincuenta y un años de edad precisa para su actividad vital normal unas 1.900 kcal; la misma mujer a los sesenta y cinco o más años de edad sólo precisará 1.600 kcal.

El proceso biológico del envejecimiento

El cuerpo de un ser vivo está formado a partir de células. Se trata de pequeñas unidades funcionales que en parte son viables por sí mismas, como las células madre o las espermáticas, y otras que sólo son efectivas si van unidas entre sí hasta formar unidades especializadas, como la conexión de células cutáneas, musculares, etcétera. Cada célula vital debe cumplir con dos condiciones básicas previas:

› La primera es que deben disponer de material hereditario, es decir, genes funcionales eficaces. Programan las funciones celulares y determinan los procesos estructurales en forma de conexiones de estructuras proteínicas (síntesis de la proteína). Al mismo tiempo favorecen la transmisión de la programación a las células hermanas.
› En segundo lugar, la célula debe ser capaz de producir energía. Para ello necesita de las mitocondrias. La función principal de estas pequeñas centrales eléctricas es la producción de la moneda-energía universal de las células. Esto ocurre mientras los orgánulos celulares, en el marco del metabolismo celular y a costa del consumo de oxígeno, oxidan los alimentos. En este proceso se libera una energía química que se almacena en moléculas energéticas como el ATP (adenosintrifosfato). Esta fuente de energía es indispensable: sin el ATP no habría movimiento de la musculatura, latido del corazón, rendimiento cerebral ni digestión, así como tampoco se daría la subdivisión celular ni la curación de las heridas. Mientras que las células de las plantas, con la ayuda del principio colorante verde de las hojas llamado clorofila, son capaces de generar energía a partir del dióxido de carbono y la luz, los animales y los seres humanos necesitan el oxígeno y los alimentos para cumplir esa misión.

Cada célula corporal tiene un «reloj biológico»

Lo vieja que sea una célula somática es algo que no se pudo determinar durante mucho tiempo. Una vez que se descubrieron los llamados telómeros y se descifró su función, por fin se pudo describir de forma científica el proceso biológico del envejecimiento. Se denominan telómeros a los extremos de nuestros cromosomas. Forman la sustancia hereditaria y contienen los genes que programarán nuestras células somáticas. Los telómeros eran conocidos desde hacía mucho tiempo, pero no se sabía con exactitud la función que cumplían hasta que los investigadores se dieron cuenta de que, con cada división celular, se acortaban cada vez un poco más. Una vez que, al cabo de cierto tiempo, las células han agotado toda sus secciones destinadas a la copia, comienzan a envejecer y mueren. Así pues, los telómeros representan una especie de «reloj biológico» de las células que se dedica a contar el número de divisiones celulares que se han producido. Por otro lado, también forman algo parecido a un escudo protector de los cromosomas. Una vez que el telómero se ha agotado, la célula comienza a morir. De inmediato, este descubrimiento trajo consigo el pensamiento de tratar de detener ese «agotamiento» de los telómeros, lo que se corresponde con el viejo sueño de la humanidad de conseguir la eterna juventud. Si esto fuera posible desde un punto de vista biológico, quizá se hubiera alcanzado, por fin, la «fuente de la juventud» tanto tiempo buscada y que Cranach pintó de forma tan espectacular en su obra. La pregunta que se deduce de todo es la siguiente: ¿Podemos retardar la desintegración de los telómeros por medio de nuestro modo de vida y, en especial, gracias a nuestros hábitos en la comida y la bebida?

Causas por las que el cuerpo envejece

El proceso de envejecimiento tiene lugar en el cuerpo a niveles muy distintos, y es posible controlar su velocidad por medio de una mejor alimentación y un estilo de vida saludable.

Para la adquisición de energía en las células somáticas, nuestro organismo precisa de la mayor parte de la alimentación que ingerimos. Además de la obtención de energía, también necesitamos las sustancias alimenticias para favorecer los trabajos de reparación y eliminación de los desechos metabólicos del cuerpo. Si las células trabajan y producen energía gracias a los alimentos y el oxígeno, se producirán residuos, a semejanza de lo que ocurre en un motor de combustión interna, y habrá que eliminarlos. En las células éstos son los denominados «radicales libres». Se trata de microscópicas moléculas inestables que tienen tendencia a combinarse con el oxígeno y producen en su entorno unos enlaces químicos que pueden modificar o incluso dañar dicho entorno. Atacan todo lo que encuentran en su camino. Así, las moléculas genéticas del ADN son atacadas a diario unas 10.000 veces por estas agresivas moléculas que también agreden a las estructuras de albúmina (proteínas), a los compuestos reguladores del metabolismo (enzimas) y a las grasas (lípidos).

Al mediodía es necesario salir un poco a tomar aire fresco y alejarse del estrés de la oficina.

Cómo se genera el estrés oxidativo

En una concentración sana, los radicales libres cumplen con una tarea vital. Pero hay ciertas circunstancias, como las cargas medioambientales, las carencias alimentarias, la nicotina, el alcohol y el estrés físico o mental, así como los medicamentos y las lesiones, que pueden llevar a una producción incontrolada de radicales libres. Si su formación supera un límite saludable, entonces se habla de «estrés oxidativo», y sus valores se pueden registrar en la sangre. Los radicales libres, que desde el punto de vista químico son muy rápidos y agresivos, trastornan y aniquilan las principales funciones y estructuras del cuerpo como pueden ser, por ejemplo, las membranas celulares o el ADN. A partir de tal circunstancia llegan las enfermedades y el organismo envejece antes de tiempo. Si los radicales libres pudieran actuar sin trabas, en el espacio de muy poco tiempo dañarían los tejidos de forma tan severa que llegarían a ser un peligro para la vida.

Sin embargo, si el sistema inmunitario trabaja de forma normal, neutraliza el furioso potencial destructor de los radicales que ya no serán capaces de dañar el organismo gracias a la acción de los correspondientes antídotos generados por el propio cuerpo (enzimas) o por los adquiridos a través de la alimentación. Se denominan «captadores de radicales», «antioxidantes» o «elementos de antioxidación», y funcionan como una especie de policía sanitaria, al mismo tiempo que forman un protector natural contra los procesos de envejecimiento.

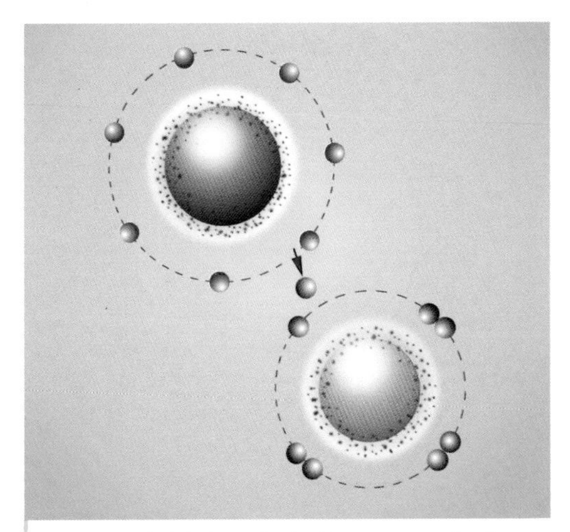

La agresividad de los radicales libres es neutralizada por los captadores de radicales y se realiza, por ejemplo, a través de la cesión de un electrón. El radical capturado queda inestable por esa circunstancia (por ejemplo, a causa de la vitamina C) y luego se regenera por el escudo protector propio del cuerpo.

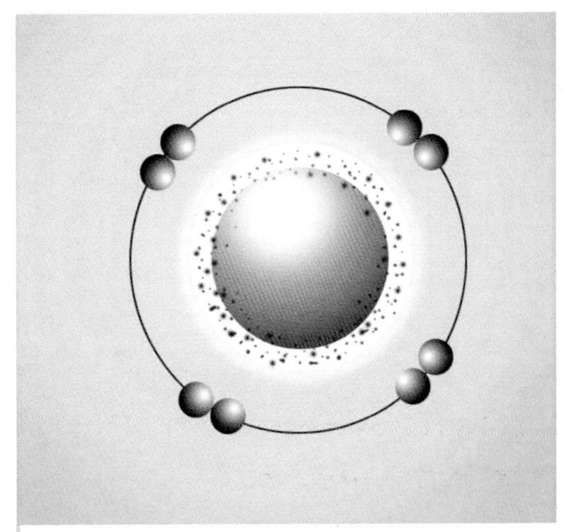

Si los captadores de radicales han hecho su trabajo de forma adecuada, se genera una molécula estable que ya no reacciona y, en consecuencia, no es capaz de provocar más daños.

Captadores de radicales procedentes de la alimentación

Los antioxidantes de la alimentación son, por ejemplo, las vitaminas A, C y E, y tienen la capacidad de neutralizar a esos agresores.

› **Vitamina C** (ácido ascórbico): es un antioxidante que existe en la naturaleza y está contenido en grandes cantidades en los cítricos o en las cerezas de las acerolas.

Vitamina C en el test de la manzana

El efecto antioxidante de la vitamina C se muestra, por ejemplo, en el test de la manzana: si se echan unas gotas de zumo de limón sobre una manzana recién cortada, esa fruta no se pondrá de tono marrón. Esa coloración es el resultado de la destrucción de los tejidos del fruto a causa de los radicales libres.

› **Vitamina E:** es otro antioxidante natural, y se encuentra en especial en las nueces y en las semillas de girasol. También se localiza en los aceites vegetales prensados en frío, así como en la margarina y en los productos del cacao.

› **Vitamina A:** la licopina, que es parte del grupo de los carotinoides (etapa preliminar de la vitamina A), se halla en especial en los tomates rojos. Es uno de los productos de protección natural más potente en el caso del estrés oxidativo y es bastante más efectivo que, por ejemplo, la beta-carotina (provitamina A). Los estudios han demostrado que la licopina es muy efectiva y puede hacer descender el riesgo de determinados tipos de cáncer.

› **Antioxidantes propios del cuerpo:** en el organismo humano, la glutación representa un antioxidante muy importante. Junto con las proteínas de efecto antioxidante (transferrina, albúmina, ceruloplasmina, hemopexina y haptoglobina), en el cuerpo también se forman diversas enzimas antioxidantes (superoxidismutasa [SOD], glutación peroxidasa [GPX] y catalasa), que tienen una importancia decisiva en cuanto a la desintoxicación de radicales libres en las células del organismo y, de esa forma, al fortalecimiento de las defensas propias del cuerpo.

Lo «bueno», si se consume en exceso, puede resultar perjudicial

Quien crea poder retrasar su proceso de envejecimiento sólo basándose en raciones extra de elementos antioxidantes va a sufrir una profunda decepción, pues los mecanismos del envejecimiento son mucho más complicados y los efectos de los antioxidantes no sólo se limitan a la desintoxicación de las células que han sido atacadas por los radicales libres. Recientes investigaciones han dejado muy patente que un bloqueo de los radicales libres también puede provocar daños debido a que éstos también cumplen una función útil para el organismo: la naturaleza utiliza su efecto tóxico para defenderse contra las bacterias y otros intrusos nocivos. Un bloqueo riguroso de los radicales libres, en especial allí donde vayan a ser utilizados como elementos defensivos, provoca la debilidad de nuestro sistema inmunitario.

De esta forma se explica que unas elevadas dosis de vitamina A y E, cuyo exceso no se puede eliminar de forma sencilla a través de los riñones, pueden provocar, lo mismo que ocurre con la vitamina C, unos efectos secundarios muy severos.

El consumo regular de tomates puede contribuir a rebajar el riesgo de cáncer.

Cuidado con los suplementos alimentarios

Una sobredosis no se puede producir a causa de la alimentación, sino a través de la ingesta adicional de los denominados complementos alimentarios en forma de preparados vitamínicos con alta dosificación. En determinadas zonas del organismo, un exceso de antioxidantes también puede llevar a la formación de sustancias nocivas. Por ejemplo, una sobredosis de vitamina C provocaría la aparición de «radicales hidroxilos» demasiado tóxicos, por lo que sólo se administrarán dosis elevadas de esa vitamina en casos muy necesarios, por vía intravenosa y siempre que sea prescrita por un médico. Esta observación explica con rotunda nitidez que, básicamente, unos nutrientes tan «sanos» como los antioxidantes puedan provocar efectos contrarios a los deseados en caso de una sobredosis o a causa de una forma de administración errónea. Esos «errores» resultan casi imposibles de cometer si se trata de los principios vitales incluidos en la alimentación. Más bien se refieren a las vitaminas, los minerales y los oligoelementos, muy importantes para la salud, pero que en lugar de incorporarse al organismo a través de una alimentación muy seleccionada, se ingieren en forma de productos químicos adquiridos en farmacias o herbolarios.

Cómo se hace visible el envejecimiento

Nuestro material hereditario, así como las cargas incesantes procuradas por los radicales libres y los procesos de oxidación de las células de nuestro organismo, sólo son dos de los muchos mecanismos que desarrollan el proceso de envejecimiento. Ese proceso se hace visible por la acumulación de pigmentos de la vejez, las denominadas lipofuscinas, que están formadas por material proteínico oxidado y no eliminado, favorecen la desintegración de las células y, en consecuencia, refuerzan los procesos de envejecimiento. Los antioxidantes pueden influir en cierta forma en la evolución de esos procesos.

De todas formas, en los modelos celulares de personas de edad se puede mostrar a corto plazo que los radicales libres tienen efecto a escala cromosómica y favorecen el acortamiento de los telómeros. En el caso de los seres humanos, los diversos mecanismos que suceden en el organismo están muy interrelacionados. Esto supone, por una parte, una cierta protección, pero por otro lado también hace posible la aparición de reacciones en cadena nocivas. Esto afecta sobre todo a nuestros procesos metabólicos, sobre los que podemos influir gracias a los alimentos.

Las modificaciones metabólicas dependientes de la edad afectan a:

- Elasticidad de la piel y el tejido conjuntivo
- Masa, fuerza y coordinación de los músculos
- Funciones cardiocirculatorias
- Asimilación y aprovechamiento de los alimentos
- Función de excreción y desintoxicación de los riñones
- Modificaciones en el equilibrio hormonal (menopausia)
- Función de los órganos de los sentidos (cristalino, oído interno, sensación de sed)
- Función del sistema nervioso (tiempo de reacción, asimilación de la información, memoria)
- Sistema inmunitario y capacidad de defensa frente a infecciones y tumores
- Densidad ósea y funciones articulares

¡Así conseguimos mantenernos jóvenes!

Cada persona envejece de una manera distinta y, en parte, tiene en su mano la rapidez con que pueda ocurrir. Al fin y al cabo, el proceso de envejecimiento también se puede ver influido por nuestros hábitos de vida: la alimentación, el bienestar físico, la actividad mental y la prevención de la salud. Las siguientes medidas suponen un punto de partida para retardar la progresión de los efectos de la edad:

› Ya que la necesidad de energía disminuye con el curso de los años, para un adulto maduro, y en relación con su estado general de salud, las comidas diarias deben ser menos copiosas y esto redundará de forma muy favorable en la ralentización del proceso de envejecimiento (fuente: Estudio Pennington Calerie, Heilbronn LK et al., JAMA, 295: 1539-48).

› Ya que, en cambio, la necesidad de sustancias nutritivas no disminuye con el paso del tiempo, al beber y al comer hay que tener muy en cuenta la consistencia de esas sustancias. De hecho, el aspecto más importante de una alimentación consciente en edad avanzada es una prevención de las carencias de albúmina y micronutrientes. Una serie de estudios ha demostrado que una malnutrición a partir de los sesenta y cinco años es tan significativa como un problema de sobrepeso, aunque ambas circunstancias no estén relacionadas de ninguna forma. Por eso es importante una administración suficiente, de forma sintética, de antioxidantes como la vitamina C, E y los carotinoides, así como los péptidos antioxidantes (superoxidismutasa [SOD], glutación peroxidasa [GPX] y catalasa). La base de una alimentación consciente a cierta edad se debe establecer con preferencia a partir de los siguientes alimentos:

› Abundancia de verdura, fruta y productos integrales
› Productos lácteos y carnes sin grasas
› Pescado, aves y huevos
› Frutos secos y aceites vegetales

¿Qué significa prevención?

En medicina se denomina prevención primaria al arte de no permitir que surjan las enfermedades. Un ejemplo, de ello es la diabetes de los mayores que, con alimentación sana, ejercicio suficiente y anulación del sobrepeso, se puede evitar casi en un ciento por ciento.
En cuanto a la prevención secundaria, el punto central es evitar la reaparición de una enfermedad. Un ejemplo, clásico de ello es el caso del infarto de miocardio provocado por una arteriosclerosis.
El infarto se puede tratar con mucho éxito desde el punto de vista médico y el paciente se sentirá bien, pero la arteriosclerosis continúa latente.
Es entonces cuando es necesario tomar medidas preventivas en forma de una dieta pobre en sal y colesterol, así como con la medicación adecuada para evitar un nuevo infarto.
La prevención terciaria incluye el intento de evitar las complicaciones y la progresión de una enfermedad. En el caso de los diabéticos, por ejemplo, los esfuerzos se dirigen a reducir los trastornos secundarios por medio de una cuidadosa administración de glucosa, pero siempre se ha de ser consciente de que la diabetes no va a desaparecer.

Un recorrido a través del cuerpo

Existe gran cantidad de referencias científicamente comprobadas que demuestran la influencia de la alimentación en las funciones orgánicas y, en consecuencia, en nuestra salud. Como ejemplo, se puede nombrar el estudio EPIC (European Prospective Investigation into Cancer and Nutrition) que, entre otros temas, muestra que unos hábitos alimentarios saludables, como ocurre en el caso de la dieta mediterránea, pueden elevar la esperanza de vida de las personas mayores (fuente: Trichopoulou A., et al., Modified mediterranean diet and survival: EPID-elderly prospective cohort study, BMJ, 2005, 330:991).

Llevarse a casa un fragmento de esas vacaciones que han favorecido nuestra salud: hay que practicar la dieta de los países mediterráneos.

A continuación presentaremos de forma mucho más detallada la interdependencia entre alimentación y salud. Para ello observaremos el organismo humano con algo más de precisión.

Permanecer joven más tiempo gracias a una alimentación correcta

Los italianos y los españoles viven bastante más tiempo que los ciudadanos de otros países occidentales. Esto lo muestra un estudio de la renombrada Universidad de Harvard. Los responsables de esa supervivencia son los elementos básicos de la alimentación mediterránea. Entre ellas encontramos el aceite de oliva prensado en frío, las hortalizas frescas y una gran abundancia de frutas y verduras. Quien se abastezca con preferencia de esos alimentos no padecerá carencias en el ámbito de las vitaminas, los minerales, las proteínas o los hidratos de carbono.

Resveratrol y quercetina

Los investigadores identificaron que la sustancia vegetal resveratrol, contenida en el vino tinto, era capaz de prolongar la vida. Hasta el momento se sabía de su efecto protector frente a las afecciones cardíacas, pero el resveratrol no actúa como un antioxidante, sino que lo hace como si fuera un limitador de la ingesta diaria de calorías cuyo efecto contra la edad ya está comprobado desde hace mucho tiempo. Una reducción de las calorías desencadena en el cuerpo la activación de la enzima denominada SIR2, lo que prolonga el espacio de vida de nuestra información genética (ADN). Otra sustancia que alarga la vida, la quercina, se oculta en la piel de las manzanas, las cebollas y las uvas, por lo que tales alimentos son muy recomendables para integrarse de forma perenne en nuestra alimentación diaria. En cualquier caso, esos componentes son más saludables y ofrecen más perspectivas de futuro que muchos de los productos «antiedad» creados en los laboratorios.

Capas protectoras y y órganos de los sentidos: la piel

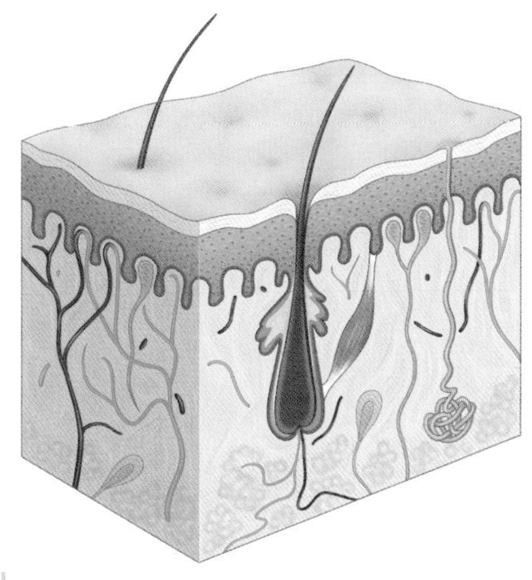

Uno de nuestros mayores órganos, la piel, está formado por tres capas: epidermis, dermis e hipodermis.

En las próximas páginas conoceremos la forma en que nuestro organismo puede alterarse por completo a causa del proceso de envejecimiento, y cómo la salud y la actividad física sirven de apoyo y soporte para nuestros más importantes órganos vitales.

Comenzaremos con la piel que, como cualquier otra frontera, juega un papel de suma importancia para el sistema al que rodea. Allí se producen tareas de muy diversa complejidad como pueden ser las de protección y delimitación, así como las de intercambio y comunicación. La frontera existente entre cada uno de nosotros y el mundo exterior está constituida por la piel, que nos protege de los efectos negativos causados por las agresiones del medio ambiente y proporciona una gran cantidad de impresiones sensoriales directas. Si se suman las diversas cantidades de piel existentes en el conjunto general del organismo humano, desde la cabeza a los pies, en un adulto se obtendrá una superficie básica de, aproximadamente, 2 m². Se estima que entre el 8 y el 12% de nuestro peso corporal corresponde a la piel. Es, pues, el mayor órgano del cuerpo.

La formación de la piel

Como órgano, la piel es la mayor extensión superficial existente en el organismo, aunque solo tenga un espesor de 1,5 a 4 mm. La piel más gruesa se localiza en las plantas de los pies y la de menor espesor está situada en los ojos. Se compone de distintas capas:

› Epidermis (capa superior de la piel de un grosor de 1,2 a 2 mm; está formada a partir de células epiteliales).

› Dermis (o corion, piel formada a partir de fibras de tejido conjuntivo y muscular, pequeños vasos sanguíneos y glándulas sudoríparas).

› Hipodermis (o subcutis, piel que está constituida de forma predominante a partir de tejido graso e incluye vasos sanguíneos mayores, nervios y células sensoriales).

› A lo anterior se añaden los apéndices cutáneos (constituidos por pelo con glándulas sebáceas y músculos de los folículos pilosos, así como uñas y glándulas sudoríparas).

Las funciones de la piel

Nuestra piel reacciona con el medio ambiente tanto en el ámbito mecánico, como químico o inmunológico. La piel sana está muy bien poblada de determinados microorganismos, como las bacterias y los hongos. Son compuestos naturales de la superficie de la piel y constituyen la denominada flora cutánea. Con ella, la piel puede cumplir su función de protección; esos gérmenes son de enorme utilidad, pues están dedicados en exclusiva a la defensa de su territorio, por ejemplo, de los ataques de agentes patógenos.

Las funciones centrales de la piel son:

› Regulación de la temperatura: la temperatura de la piel asciende en circunstancias normales a unos 36,5 °C, sin que dependa de la temperatura exterior. Para protegerse del frío o de un calor excesivo, el cuerpo modifica la irrigación de la piel. Si hace demasiado calor, la superficie de la piel elimina dicho calor generando frío por medio del sudor.

› Protección frente a las lesiones: la capa córnea de la piel intercepta los efectos mecánicos menores, como la presión, los golpes, las rozaduras o las lesiones leves, y se ocupa de mantener su estabilidad. Las zonas cutáneas con excoriaciones más profundas protegen de los efectos nocivos de las secreciones de los líquidos de las heridas y por medio de los componentes de la sangre.

› Protección frente a la entrada de agentes patógenos y sustancias extrañas: además de impedir el acceso de gérmenes y sustancias extrañas, la piel también protege contra los efectos de las sustancias químicas, como los ácidos y las lejías. Con el apoyo del sistema inmunitario, se defiende ante los microorganismos, las bacterias y los virus que pretenden invadirnos.
› Protección frente a los rayos del sol y la sequedad: la superficie de la piel está capacitada para reflejar los rayos solares y para absorberlos en su interior y, de esa forma, el organismo queda protegido ante la dañina radiación UVB (315-280 nm). La piel, en cambio, no se puede proteger por sí sola ante las radiaciones UVA (380-315 nm), de mayor longitud de onda.
› Recepción de los estímulos táctiles: nuestra piel recibe una gran diversidad de estímulos y transfiere la información al cerebro. Por lo tanto, además de receptores del dolor, así como del calor y el frío, los extremos nerviosos mecánicamente sensibles de la piel son nuestro órgano sensorial más importante. En último término son también los responsables del sentido del tacto. Como órgano sensorial muy susceptible, la piel también asume un factor muy importante en lo que se refiere a las relaciones humanas. Es el reflejo de nuestro estado y nuestra personalidad, pues juega un papel decisivo en lo que se refiere a nuestra propia autovaloración y a la forma en que nos perciben los demás.

i Puestos avanzados del sistema inmunitario

• Muchas de las células cutáneas toman parte en la defensa del organismo ante la invasión de cuerpos extraños. Entre ellas se cuentan algunas células (como las de Langerhans) que son exclusivas del sistema inmunitario de la piel. Estas células, que en origen proceden de la médula espinal, pueblan la epidermis y son algo parecido a los puestos avanzados más exteriores de nuestro sistema inmunitario. Las células de Langerhans pueden reconocer a los antígenos, es decir, unos virus denominados alergénicos de contacto, que son los culpables de provocar las alergias. Se han especializado al mismo tiempo en la activación de las células T que controlan la respuesta inmunitaria del cuerpo y hacen que los antígenos no resulten nocivos para el organismo.
• En el interior, la piel contiene además células madre adultas. A partir de esas células básicas del cuerpo se generan distintos tejidos, como la piel, los músculos y los huesos, la sangre, los nervios y la totalidad de los órganos. Así, gracias a las células madre, que son «talentos todoterreno», se desarrollan otras que se hacen especialistas, según cada zona orgánica, en determinadas tareas y funciones. Además, las células madre forman una y otra vez nuevas células como ellas y de esa forma evitan que se agoten las existencias. Gracias a esa capacidad, este tipo de células puede realizar distintas funciones reparadoras del organismo.

Cómo se reconoce la edad por la piel

Ya que la piel, como ningún otro órgano, puede reflejar el estado del cuerpo y de la mente, también en ella se puede leer el estado nutricional y la edad de cada individuo. Así, la denominada turgencia de la piel nos da información sobre el contenido de agua en ella y en todo el cuerpo. Una alimentación sana y un equilibrio hídrico adecuado se ocupan de que la piel se mantenga elástica. A pesar de todo, el paso de los años modifica su aspecto, pues desciende el contenido de líquidos y disminuye la firmeza del tejido conjuntivo cutáneo.

Evitar los aspectos carenciales

En un ser humano, la edad se hace muy visible en las manos, ya que están muy implicadas y presentes en las actividades cotidianas. Las modificaciones de la piel condicionadas por la edad se aceleran de forma muy clara por una alimentación desacertada y unos hábitos de vida nocivos, o bien por diversas circunstancias (las denominadas noxas), como son en especial el consumo de tabaco o una intensa exposición a la luz ultravioleta.
Con ese trasfondo no sólo es importante disfrutar de una alimentación equilibrada, sino también saber adaptar las calorías a la necesidades energéticas de cada individuo. A pesar de todo, quien reduzca de forma radical su ingesta de calorías puede favorecer el proceso de envejecimiento de su piel: un déficit de calorías lleva a una dilución y un incremento de la vulnerabilidad de la piel, a una sequedad cutánea extrema (xerosis) y a la descamación. La piel genera arrugas y se destensa a causa de la pérdida de tejido adiposo subcutáneo. Además, se modifica el tono cutáneo y se genera una coloración de la piel en un tono blanco grisáceo que está condicionada, entre otras cosas, por la pobreza de la sangre, así como por una irrigación menor, debida a que los pequeños vasos cutáneos se han estrechado (vasoconstricción). También se pueden formar las denominadas marcas de edad o una pigmentación marrón alrededor de la boca y los ojos. Las uñas crecen más despacio y se agrietan con gran facilidad. El pelo resulta cada vez más fino, reseco y gris y se cae a mayor velocidad. Esto puede ser consecuencia de una carencia de proteínas y,

en especial, de aminoácidos como la metionina, el triptófano o la cisteína.
Si se tiene cierto cuidado en el trato con la piel, se evitan costumbres nocivas para la salud y todo eso se combina con una selección de los alimentos, existe la casi completa seguridad de que se podrá retrasar el proceso de envejecimiento cutáneo. Nuestro aspecto será más juvenil y fresco, y nos sentiremos mucho mejor en el interior de nuestra propia piel.

Sustancias *well-aging* para la piel

Para tener una piel sana y joven, un pelo firme y brillante y unas uñas intactas es decisiva una alimentación equilibrada. Es necesario que se cubran las necesidades diarias de calorías y que el cuerpo esté abastecido de forma suficiente con aminoácidos, antioxidantes, vitaminas y oligoelementos.

Beta-carotina

Los denominados antioxidantes, como la beta-carotina, son de especial significado para mantener una piel fresca y saludable. Además, su principio colorante naranja protege contra las radiaciones ultravioletas. La beta-carotina resulta especialmente eficaz si se combina con la vitamina E, ya que si se produce un abastecimiento elevado de beta-carotina y una simultánea carga de rayos ultravioletas, la vitamina E se consume muy deprisa. En verano es necesario, por tanto, ingerir alimentos ricos en beta-carotina y vitamina E. En el caso de quemaduras solares, además de las lociones cutáneas calmantes, también puede ayudar una alimentación basada en especial en zanahorias, espinacas, remolacha roja, repollo, así como albaricoques y sandías (fuentes de beta-carotina). Lo mejor es consumir esos productos en combinación con los aceites de girasol, de oliva o de germen de trigo, la mantequilla o las nueces (que, a su vez, son una buena fuente de vitamina E).

Vitaminas A, D, E y K

Una carencia de las vitaminas A, D, E y K, que son las encargadas de disolver las grasas, es poco común en los países industrializados, ya que para esas vitaminas el organismo ha podido formar depósitos de larga duración. La vitamina K_1 se encuentra en los orgánulos celulares (cloroplastos) de las plantas verdes, por ejemplo, en los cebollinos o las coles de Bruselas, así como en el hígado de ternera, en los huevos, en el queso quark, los champiñones y las fresas, mientras que la vitamina K_2 se sintetiza por la flora intestinal. La vitamina D es absorbida por el intestino en su primer estadio inactivo; en la piel, bajo el efecto de los rayos solares, y luego en el hígado o en los riñones, pasa a su forma activa. Una carencia de ella puede deberse a una alimentación deficiente, aunque también se puede achacar a que el individuo haya estado poco tiempo expuesto al aire libre o al sol.

Vitaminas del grupo B

Entre las vitaminas hidrosolubles, la B_2 (riboflavina), la B_6 (piridoxina), la B_7 (biotina) y la B_{12} (cobalina) son las que juegan el papel más importante para la salud de la piel.
› La riboflavina está contenida, entre otros, en la leche y los productos lácteos, en la levadura así como en las verduras (brécol, espárragos o espinacas), pescados, carnes, huevos y productos integrales. También la levadura es rica en vitamina B_2.
› La vitamina B_6 se encuentra en muchos alimentos, como los productos lácteos, las carnes, los pescados, las coles, las judías verdes, las lentejas, las lechugas, los productos integrales, los brotes de trigo, las nueces, la levadura y los plátanos. Cuantas más proteínas reciba el cuerpo, más vitamina B_6 necesitará. Además, la vitamina B_6 fosforilada sirve de coenzima en el metabolismo de los aminoácidos, en la síntesis de los colorantes rojos de la sangre y en la liberación de las reservas energéticas de los animales (glucógenos).
› La biotina, también denominada vitamina B_7 o vitamina H, regula los diversos procesos metabólicos. La levadura es rica en biotina; este componente también aparece en el salvado de trigo, en el hígado y las espinacas.
› La vitamina B_{12} juega un papel primordial en cuanto a la división celular y la formación de la sangre («anemia perniciosa»), en la desintegración de ácidos grasos y en la función del sistema nervioso («neuropatía sensorial»). La vitamina B_{12} se almacena en el hígado y la contienen casi todos los alimentos de origen animal.

Oligoelementos

› Cinc: entre los oligoelementos importantes para la salud de la piel hay que destacar de forma especial el cinc. Una administración suficiente de cinc se puede conseguir por medio de una alimentación básica de carnes rojas, pescados, leche, productos integrales, semillas oleosas, como el sésamo, la adormidera, las semillas de calabaza y girasol, los cacahuetes y las nueces, las setas, las levaduras y las lentejas.
› Selenio: este oligoelemento es importante para conseguir una protección efectiva contra los rayos ultravioleta, ya que favorece la desintegración de los radicales libres. El selenio está en el ajo, los cocos, el Boletus, los brotes de trigo y la yema del huevo.

El motor del cuerpo: la musculatura

Es necesario poner ejercicio en nuestra vida, sobre todo con tipos de deportes que tengan consideración a las articulaciones.

Nuestra musculatura no sólo sirve para la locomoción y la realización de actividades, sino que también participa en procesos de movimientos tan vitales como la respiración. La masa muscular total es, junto al tejido nervioso, el consumidor más importante de energía del cuerpo. Que una persona que sea activa en la práctica del deporte disponga de más energía que un congénere más sedentario es algo muy evidente: consume más calorías debido al ejercicio y al incremento de su masa muscular. Además, su riego sanguíneo es mejor y eso ocasiona una necesidad más elevada de oxígeno y energía, y no sólo en pleno ejercicio deportivo, sino también en posición de descanso. Por este motivo, el movimiento y el entrenamiento de fuerza son la mejor garantía para conseguir un buen aspecto. Además, la actividad deportiva permite eliminar el exceso de kilos (el cambio de alimentación juega también un papel muy importante) y el peso se mantiene con mayor facilidad.

Los diversos grupos musculares

Nuestro músculo de mayor tamaño es el músculo dorsal ancho (*Musculus latissimus dorsi*), el más fuerte es el masetero (*Musculus masseter*), el más largo, el sartorio (*Musculus sartorius*), los más activos son los músculos oculares y el más pequeño de ellos es el músculo del estribo (*Musculus stapedius*), situado en el oído interno. Uno de los más interesantes para el cuerpo es el diafragma: es el músculo transversal más importante para la obtención del oxígeno y la eliminación del dióxido de carbono, facilita las dos terceras partes de la capacidad de respiración y se encuentra activo de forma constante, lo que hace que sea el músculo de mayor consumo de energía. En lo básico, la musculatura total se divide, en cuanto a estructura y funcionalidad, en musculatura lisa, estriada y cardíaca. La musculatura lisa está dotada de movimiento involuntario, y forma la musculatura de las vísceras. Muchas veces trabaja de modo lento y puede mantener su actividad durante largo tiempo sin grandes dispendios de energía.

La musculatura estriada, con la única excepción del corazón, es de carácter voluntario. Es el material de construcción necesario para la denominada musculatura esquelética. La musculatura estriada trabaja deprisa y tiene una gran capacidad de rendimiento.
Todos los músculos extraen su energía de las sustancias alimenticias (aminoácidos, hidratos de carbono, ácidos grasos), que le llegan a través de la sangre.

Los músculos necesitan energía

El consumo de energía de una persona se puede subdividir en el consumo de energía en reposo (metabolismo basal) y el dependiente del rendimiento (metabolismo de rendimiento). Bajo el término de metabolismo basal está incluida la necesidad de energía, medida en kilojulios (kJ), que precisa el organismo en estado de reposo para poder mantener sus funciones básicas. Depende del sexo, la edad, el tamaño del cuerpo, el peso corporal, la temperatura, el estado de salud y la masa muscular pura.
El metabolismo basal, es decir, el consumo de calorías necesario en estado de reposo, es el siguiente:

- En el hombre: 80 W = 6.900 kJ al día o bien 1.650 kcal al día.
- En la mujer: 70 W = 6.000 kJ al día o bien 1.450 kcal al día.

Ese valor se puede estimar de forma muy sencilla para cada individuo según la fórmula «1 kilocaloría por kilogramo de peso y hora». Por lo tanto, un hombre que pese 90 kilos tendrá un metabolismo basal aproximado de 90 x 24 = 2.160 calorías.
El metabolismo de rendimiento, por el contrario, se corresponde por término medio con valores entre el 50 y el 110% del basal.
En el caso de una actividad ligera asciende a: 35 W = 3.000 kJ por cada 24 horas = 700 kcal al día.
En el caso de una actividad corporal que se mantenga entre ligera a media, el empleo total de energía asciende a unos 115 W = 10.000 kJ al día, lo que significa 2.400 kcal diarias.
Si se ejerce una actividad enérgica llega hasta 250 W = 21.000 kJ al día = 5.000 kcal diarias.

Cuándo desciende la fuerza muscular

Con la edad disminuye la masa muscular y desciende la capacidad de la musculatura para extraer energía del oxígeno

¡El movimiento nos mantiene jóvenes!

La reducción de los kilos que sobran no sólo se consigue al hacer ejercicio de forma regular.
Un equilibrio energético negativo depende sobre todo del cambio de hábitos alimentarios. No obstante, desde un punto de vista médico el movimiento resulta recomendable para personas de cualquier grupo de edad.

- Deportes de resistencia, como la bicicleta, la marcha nórdica, nadar o hacer senderismo mejoran el bienestar físico, elevan los ratios metabólicos y, además, ayudan a mantener el peso deseado. Además, un entrenamiento regular y moderado es ideal para adquirir un buen vigor básico. Para un mejor rendimiento cardiocirculatorio, los deportes de resistencia son los más indicados, pues en ellos no sólo se implica a la musculatura sino también al aparato tendinoso y ligamentoso, así como al esqueleto, que recibe valiosos impulsos para estimular su actividad en el organismo. Y eso sin contar con que, además, el ejercicio al aire libre ayuda a mantener despejada la cabeza: el cerebro está ocupado en coordinar y respaldar los procesos del movimiento y no dispone de tiempo para preocuparse por otras cosas. Existe la certeza absoluta de que desintegra la hormona del estrés e incrementa el buen humor.
- Un entrenamiento de fuerza combinado con ejercicios de estiramiento y coordinación (por ejemplo, el yoga o el taichi) constituye, sin más, un comodín «antiedad»: una musculatura bien entrenada sirve para disponer de mayor fuerza física y más movilidad, mantener una buena postura corporal y conseguir estabilidad en el tronco.
- Se elevan el metabolismo basal y el de rendimiento y se incrementa el consumo de energía en la actividad diaria. También hay que tener en cuenta el efecto de poscombustión pues, de hecho, los músculos consumen calorías incluso durante el sueño. Los estudios más recientes muestran que las personas mayores pueden generar musculatura de la misma forma que los jóvenes. Con un entrenamiento periódico y moderado de fuerza y resistencia se previenen las dolencias condicionadas por la edad, como la fragilidad ósea (osteoporosis) o el desgaste articular (artrosis).

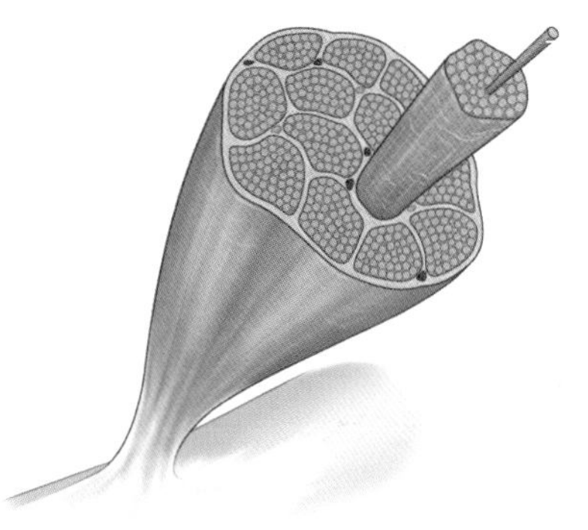

Un vistazo al mundo interior: los músculos deben ser entrenados de forma regular para que las fibras se mantengan en forma.

y los alimentos. El que, por causa de la edad, se vuelva perezoso y utilice cada vez menos sus músculos, comenzará a atrofiarse sin remedio. Bajará su metabolismo basal y sus necesidades de energía, y perderá el apetito. La consecuencia es una reducción de la ingesta de alimentos que no sólo afectará a los portadores de energía, como los hidratos de carbono, la albúmina y las grasas (lo que resultaría muy sensato), sino que también disminuye la cantidad absorbida de micronutrientes, es decir, de vitaminas, oligoelementos y sustancias vegetales secundarias.

Más del 50% de las personas mayores ingiere una cantidad insuficiente de vitaminas, con las previsibles consecuencias negativas que en la mayoría de los casos se podrían solventar de forma muy sencilla por medio de una alimentación consciente. La degradación muscular lleva en su último estadio a la pérdida de fuerza física y, sobre todo, de la elasticidad. Además, también resulta afectado el sistema hormonal que, debido a la disminución de exigencias y a la carencia alimentaria, se ve menos estimulado y genera unas condiciones previas que son muy poco favorables para el crecimiento de la musculatura.

Surgimiento de un círculo diabólico

La atrofia muscular (sarcopenia) condicionada por la edad es una de las características más llamativas del envejecimiento biológico. Afecta a la fuerza muscular de todas las personas, y eso ya empieza a ocurrir a partir de los treinta años de edad. Los trabajos que cuando se era joven se superaban a la perfección, suponen cada vez mayor esfuerzo a medida que se cumplen años. Además de las causas antes mencionadas, también existe un déficit proteínico. A medida que envejecemos, resulta cada vez más importante ingerir proteínas en cantidad suficiente, ya sea bajo las formas de carne, pescado o productos lácteos, y, al mismo tiempo, ocuparse de practicar ejercicio físico con la intensidad y en la cantidad suficientes. Junto a eso, los flavonoides, como la quercetina y el canferol, se ocupan de optimizar el rendimiento muscular. De ese modo, gracias a la alimentación también se llega a mejorar la movilidad general y, en el caso de las personas de edad elevada, se reduce en muchas ocasiones la persistente sensación de frío.

Moléculas clave con poder «antiedad»

En los últimos años se han podido explicar algunos mecanismos muy importantes de la regulación del consumo de energía en el organismo. En ellos juegan un papel vital las mitocondrias, que son pequeños componentes que se encuentran sobre todo en las células musculares. Estas «centrales de energía» de las células contienen una serie de moléculas clave, por ejemplo, la cardiolipina o las denominadas *uncoupling proteins* o «proteínas desacoplantes» (UCP_1 a UCP_4). La UCP_1 se encuentra en los denominados tejidos grasos marrones, transforma la energía en calor y protege el cuerpo de los enfriamientos. El tejido graso marrón se contrapone al tejido graso blanco, del que está formado el poco deseado, aunque muy saludable, panículo adiposo. El UCP_2 se encuentra en el hígado, en las células del sistema inmunitario y en las pancreáticas, donde se produce la insulina, que está regulada por la UCP2. La UCP_3 se encuentra sobre todo en la musculatura del esqueleto y en la grasa blanca. Ambas regulan el metabolismo basal energético inducido por la alimentación y en especial por la grasa y, en consecuencia, juegan un papel decisivo en el control del peso. La UCP_4 sólo aparece en el cerebro. Esta proteína, junto con la producción de ATP, juega un papel importante en el control de los radicales libres en las células y, por tanto, en el control de los daños celulares y el envejecimiento de las células. Como consecuencia, las UPC no sólo participan como agentes reguladores del metabolismo energético humano, sino también en el origen del sobrepeso, la diabetes, los trastornos del metabolismo de los lípidos y, cómo no, en los procesos de envejecimiento del organismo.

Sustancias *well-aging* para los músculos

De hecho se puede elevar la actividad de los UCP para contener los procesos de envejecimiento y la aparición de

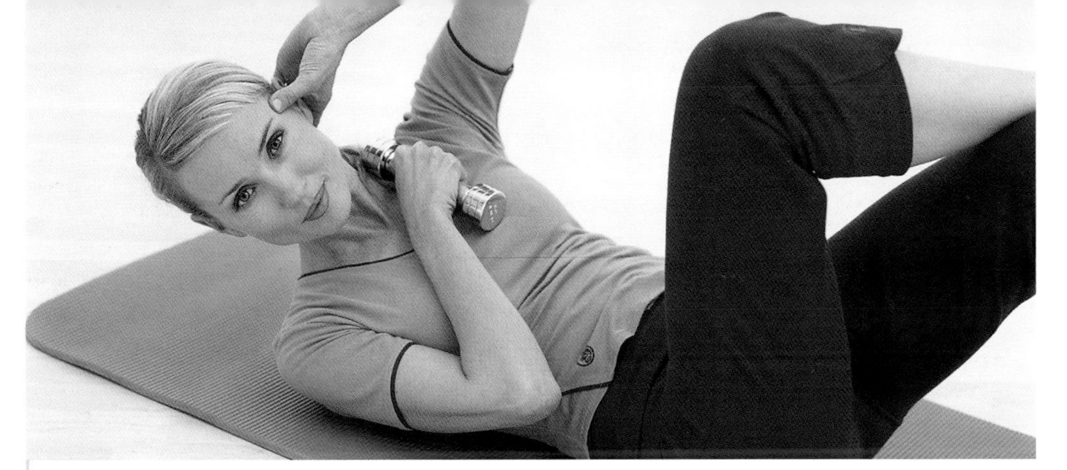

El entrenamiento de la fuerza muscular se debe completar con estiramientos que lo compensen y equilibren.

trastornos metabólicos, pues tales proteínas se regulan por una parte a través de nuestra herencia gerencia y, por otro lado, por los nutrientes de nuestra alimentación.

Proteínas

La ingesta diaria de proteínas deben ascender de 1 a 1,5 gramos por cada kilogramo de peso corporal, es decir de 70 a 105 g al día, o bien de 500 a 750 g semanales. Las fuentes de proteínas deben proceder a partes iguales de productos lácteos, alimentos vegetales, carne y pescado, pues todas las fuentes proteínicas presentan aspectos tanto positivos como negativos.

Canferol

Es un flavonoide natural que aparece en las uvas rojas, el gingko, el pomelo y otras plantas, incrementa el consumo de energía gracias a la elevación del UCP_3 y otras moléculas y de esa forma sirve como eficaz preventivo de las afecciones metabólicas. En el lúpulo también se encuentra el canferol y, además, en las catequinas, las epicatequinas y la quercetina.

Coenzima Q10

Otra molécula clave para la obtención de energía en las células musculares es la ubiquinona, que en el cuerpo humano aparece como coenzima Q10. En su forma reducida (ubiquinol) tiene efecto antioxidante pues regenera las vitaminas C y E; se adquiere en parte por medio de la alimentación, pero también la fabrica el propio organismo. Los órganos con elevado consumo energético, como el corazón, los pulmones y el hígado, presentan la concentración más elevada de la coenzima Q10. Una carencia de la misma se genera por la disminución, condicionada por la edad, de la concentración de esa coenzima, por los esfuerzos corporales, por el estrés, por un elevado consumo de alcohol y nicotina y también a causa de las enfermedades. En el caso de una alimentación equilibrada y en circunstancias normales, la administración de esta coenzima está asegurada normalmente. Se encuentra en la carne, sobre todo en las vísceras (hígado), los pescados grasos (sardinas, caballa), los frutos secos (por ejemplo, los pistachos), las legumbres, el sésamo, los aceites vegetales y las verduras. Si en la preparación de los platos se utiliza un grado muy elevado de calor, la coenzima Q10 puede ser destruida.

Carnitina

El ejercicio físico provoca una elevación del nivel de concentración de carnitina en los músculos, lo que resulta muy importante para la generación de energía a partir de los ácidos grasos de cadena larga y otras sustancias alimentarias. El cuerpo humano puede generar por sí mismo la carnitina a partir de los aminoácidos metionina y lisina, pero se consigue sobre todo a partir de la carne. La carnitina L se encuentra en grandes cantidades en la carne roja, en especial la de carnero y cordero. En cambio, las aves son pobres en carnitina y los alimentos vegetales apenas la contienen. En consecuencia, para las personas de costumbres vegetarianas resulta muy importante cubrir sus necesidades de esa sustancia por medio de la ingesta en cantidades suficientes de alimentos con vitamina C, vitamina B6, niacina y hierro. Sin embargo, lo más sencillo sería comenzar a consumir carne, pues la carnitina contenida en ella pasa de forma directa a los músculos y al mismo tiempo asegura un abastecimiento suficiente de proteínas que también son necesarias para el músculo.

El centro de la fuerza vital: el corazón y la circulación

En los últimos ciento veinticinco años, la esperanza de vida en los países occidentales casi se ha duplicado. Los motivos son muy variados y engloban una mejora en la prevención médica, una mayor higiene y también una alta tasa de protección en el trabajo y los accidentes laborales, así como un bienestar ascendente en las satisfactorias condiciones de vida. Así, visto desde un punto de vista social, llegamos a cumplir más años que las generaciones que nos precedieron, lo que no impide que el paso de la vida deje sus huellas en nuestro organismo.

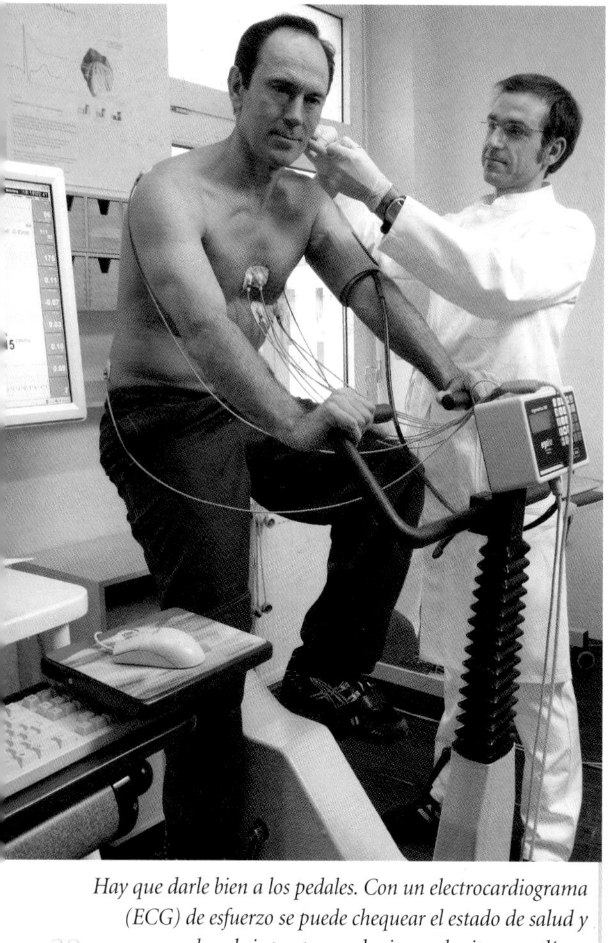

Hay que darle bien a los pedales. Con un electrocardiograma (ECG) de esfuerzo se puede chequear el estado de salud y descubrir trastornos de riego y de ritmo cardíaco.

Factores de riesgo coronario

Nuestra musculatura cardíaca representa una forma especial del tejido muscular estriado (véase la página 17) que contribuye de forma muy notable a conseguir un rendimiento constante de potencia, pero eso sólo ocurre mientras cuidemos de nuestros hábitos de vida, y en ellos se incluye también la salud del corazón. Las funciones cardiorrespiratorias sufren daños, sobre todo, a causa de los denominados factores de riesgo coronario. Entre ellos podemos mencionar una elevada presión sanguínea, la falta de ejercicio, las cargas psíquicas (estrés) y la angustia vital, unos hábitos de vida y alimentarios poco sanos (sobrepeso), fumar (el caso de las mujeres también en relación con los productos hormonales anticonceptivos), la escasez de horas de sueño, el mal uso de los medicamentos, los trastornos metabólicos (entre otros, la diabetes mellitus tipo 2 y la hipercolesterolemia)... Las personas con predisposición genética a padecer enfermedades del corazón o del sistema circulatorio son las que, en especial, pueden hacer mucho a favor de su salud cardíaca por medio de una adecuada forma de vida.

Cuando el corazón se agota

La causa principal de las enfermedades cardiocirculatorias es la arteriosclerosis. El colesterol y las sustancias inflamatorias que se encuentran sobre todo en la grasa del estómago hacen que se produzcan sedimentos vasculares (arteriosclerosis). Al mismo tiempo, esta calcificación es un proceso inflamatorio: si hay una elevada presión sanguínea, angina pectoris, debilidad renal, infarto cardíaco o un ataque de apoplejía, la alteración de las paredes de los vasos juega un papel importante. Estas modificaciones se forman a partir de los denominados fagocitos, que se adhieren a las paredes internas de los vasos sanguíneos donde se almacena el colesterol, la grasa y la cal. En esos depósitos (llamados placas) anidan las bacterias que favorecen la inflamación. La consecuencia es que los vasos pierden elasticidad y se hacen más angostos, circunstancia que en sus inicios no supone ningún problema. Por desgracia, con el paso del tiempo esta estrechez impide el flujo sanguíneo y en casos extremos llega a detenerlo. Los tejidos y los órganos afectados padecen limitaciones funcionales que pueden llegar hasta el fallo total de grandes áreas orgánicas, y desembocar en un infarto cardíaco o una apoplejía cerebral.

El corazón en peligro: el síndrome metabólico

Al referirse en especial al contexto de una adiposidad abdominal muy marcada, los especialistas hablan de un elevado riesgo cardiovascular, es decir, del peligro de que se den afecciones cardiocirculatorias y del metabolismo. Un incremento de grasa que se sitúe alrededor de los órganos internos fortalece los peligrosos procesos inflamatorios en el cuerpo. La mayoría de las veces son un indicio de graves enfermedades: se denomina síndrome metabólico a un cuadro clínico producido por el conjunto de diversas alteraciones del metabolismo.

Cómo sobreviene

Los cuatro factores de riesgo decisivo son las adipositas abdominales (sobrepeso excesivo del estómago), elevada presión sanguínea, trastorno del metabolismo de los lípidos y la diabetes. En esas circunstancias se liberan neurotransmisores (adipoquinina y citoquina) que están contenidos sobre todo en el tejido adiposo y ocasionan una reacción inflamatoria en el cuerpo, así como una alteración de la regulación del apetito. Se llega a una elevación del nivel de grasas en la sangre (hiperlipidemia), a trastornos del aprovechamiento de la glucosa (tolerancia trastornada a la glucosa), a daños en las paredes de los vasos sanguíneos con elevada presión sanguínea (hipertonía) y a deficiencia renal. Uno de cada cuatro adultos del mundo occidental sufre en la actualidad este síndrome.
Según criterios de la IDF (International Diabetes Foundation), se padece el síndrome metabólico cuando se producen las siguientes circunstancias:

1. Perímetro del estómago: > 94 cm en hombres; > 80 cm en mujeres
2. Además, se deben cumplir dos de los siguientes cuatro criterios:

› Presión sanguínea: > 130/85 mm Hg
› Azúcar en sangre en ayunas: >5,6 mmol/litro
› Colesterol HDL: > 40 mg/dl en hombres; > 50 mg/dl en mujeres
› Triglicéridos: > 150 mg/dl

La comida puede hacernos enfermar

Se puede afirmar que, de forma aproximada, el 40% de los adultos sufre en el mundo occidental problemas de sobrepeso, y los hombres aventajan con claridad a las mujeres. Las causas proceden de unos hábitos erróneos de alimentación y, en cierto grado, también de la genética. De forma general se puede constatar que quien haya comido demasiado, con mucha grasa y exceso de dulces, padece de una carencia simultánea de las más importantes sustancias vitales. Los alimentos que engordan tienen una elevada densidad energética, es decir, contienen muchas calorías en poco volumen y un elevado índice glucémico (IG). Entre ellos se incluyen el pan blanco, la pasta fabricada con harina blanca, el arroz no integral, las patatas fritas, la limonada, los zumos dulces de frutas, el embutido, la carne grasa, los quesos blandos, las golosinas, los pasteles o la cerveza. En poco tiempo, con ese tipo de alimentación se pierden las saludables fibras, los minerales y las vitaminas, que son tan importantes para la vida.

El alcohol engorda

La cerveza y el vino, junto con el azúcar blanco, la harina refinada y las grasas ocultas, provocan que engordemos. Con 7 kcal por gramo, el alcohol tiene casi el mismo contenido energético que la grasa. Además, el alcohol nos incrementa el apetito pues estimula la insulina y reduce la eliminación de la grasa. Un consumo regular de alcohol eleva el nivel de grasa en sangre (triglicéridos). En tal caso puede resultar muy beneficiosa la adopción de una serie de medidas para una vida saludable que tendrán más éxito si se combinan con una cocina inteligente, como la que se presenta a partir de la página 39.

Sustancias *well-aging* para el corazón

Las afecciones cardíacas y circulatorias no sólo surgen a causa de una predisposición familiar. Con un modo de

Las judías de soja y otras legumbres nos aportan proteínas con bajo índice glucémico, por lo que deben estar situadas muy arriba en la lista de la compra.

vida sano y cierta cantidad de iniciativa propia, cada uno puede procurar que sus funciones cardíacas se mantengan lo más jóvenes posible. La principal prioridad es renunciar al tabaco, aunque también los no fumadores pueden hacer algo activo a favor de su salud cardíaca. Uno de los factores más importantes para la prevención de las enfermedades cardíacas y del sistema circulatorio es la alimentación.

Se trata de la grasa

La grasa no siempre es grasa. Los verdaderos factores de riesgo para las reacciones inflamatorias en el cuerpo y para el síndrome metabólico son los ácidos grasos saturados (AGS) y los ácidos grasos trans (AGT). Los AGS aparecen sobre todo en las grasas de origen animal, por ejemplo, la mantequilla, la nata, la manteca de cerdo y los embutidos, así como en el aceite de coco y de palma. Son estables y se disuelven a elevadas temperaturas. Los AGT se forman a partir del endurecimiento industrial de la grasa (por ejemplo, en el caso de la margarina), al cocer a fuego lento y asar a elevadas temperaturas (por encima de los 130 °C) y también por medio de la fermentación bacteriana, como ocurre con los productos derivados de la leche, que llegan a contener hasta un 4% de TFA.
Los ácidos grasos insaturados simples (AGIS), por el contrario, mantienen el corazón y el sistema circulatorio sanos y jóvenes. Son preferibles los ácidos grasos insaturados que se encuentran en el aceite de oliva y en los aceites de origen vegetal, así como también los ácidos grasos poliinsaturados (AGP), entre ellos en especial los ácidos grasos omega-3 que, además, están contenidos en los aceites vegetales y de pescado. El efecto reductor de riesgos vitales y cardiovasculares que representa la cocina mediterránea es, con toda probabilidad, la combinación de ácidos grasos insaturados y poliinsaturados con abundante fruta, verdura y fibra. También se basa en ese efecto reductor la recomendación de consumir pescado una o dos veces por semana.

Alimentos ricos en fibra

Una alimentación rica en proteínas, pobre en sodio y con abundante fibra es ideal para disolver de forma efectiva los kilos de más y mantener el buen aspecto físico. La riqueza en fibra no sólo es buena para el intestino, sino también para el corazón y el sistema circulatorio. Esto lo demuestran los análisis de varios estudios presentados en la revista médica norteamericana «Journal of hypertension». Incluso las personas que ya padecen una elevada presión sanguínea ven reducidos a largo plazo esos niveles, si incrementas el contenido de fibra en su alimentación («Journal of hypertension», Vol. 23 (3), marzo 2005, págs. 475-481).
En el caso de la fibra se puede distinguir entre celulosas (cereales, fruta, verduras), hemicelulosas (cereales integrales, legumbres, cebada), lignina (frutas con corazón, cereales), pectina (fruta, verdura, en especial las manzanas y los membrillos), así como el alginato de las algas.
Los siguientes alimentos contienen, por cada 100 g, las siguientes cantidades de fibra: arroz integral (3,7 g), pan de centeno (6,0 g), muesli (4,6 g), salvado de trigo (49,3 g), patatas (1,9 g), zanahorias (2,9 g), pimiento rojo (3,6 g), coles de Bruselas (4,4 g), repollo (3,0 g), lechuga de hoja (1,8 g), guisantes (5,0 g), judías blancas (7,5 g), plátanos (2,0 g), manzanas (2,3 g), albaricoques secos (8,0 g), higos secos (9,6 g) y almendras (9,8 g).

Comprobar el nivel de homocisteína

El nivel de homocisteína en sangre se puede elevar a causa de factores muy diversos. Entre ellos se encuentra la predisposición genética, un bajo aporte de vitaminas B, fallos renales y un exceso funcional de la glándula tiroides (hipotiroidismo), así como por el consumo de tabaco.
Las investigaciones han demostrado que el ácido fólico (B_9), soluble en agua, tiene la capacidad de defendernos

Los más recomendables son los productos integrales, pues son ricos en vitaminas, minerales y fibra.

frente al riesgo de arteriosclerosis. La participación del ácido fólico en la maduración, diferenciación y división de las células, en especial de los glóbulos rojos y blancos y de las células mucosas, está siendo muy estudiada en la actualidad. Se puede afirmar con base científica que las células del organismo que carecen de ácido fólico no pueden dividirse ni reproducirse de forma adecuada. Además, una carencia de ácido fólico lleva a una elevación del nivel de homocisteína en sangre, lo que incrementa en exceso el riesgo de enfermedades cardíacas y vasculares. La homocisteína es una sustancia tóxica propia del organismo. Se genera con la descomposición de la proteína de los componentes proteínicos más elementales en la alimentación, los llamados aminoácidos. En el caso de una carencia de ácido fólico, la homocisteína no se puede eliminar de forma suficiente y, con el tiempo, provoca pequeñas grietas en las paredes de los vasos. El organismo recompone esas lesiones, lo que acarrea que el vaso sanguíneo se estreche y, en consecuencia, se eleva el riesgo de infarto.

Para medir la concentración de homocisteína en el flujo sanguíneo, los pacientes deben someterse, en ayunas y por la mañana, a un análisis de sangre. La determinación de la homocisteína aún no está incluida dentro de los protocolos estándar de los análisis clínicos (revista «Ärztezeitung», 27-06-2007).

Ácido fólico

Con la ayuda del ácido fólico y de las vitaminas B_6 y B_{12}, la homocisteína se transforma en el aminoácido metionina. El ácido fólico está contenido en el hígado, los productos integrales, las verduras de hoja verde, la remolacha roja, las espinacas, el brécol, las zanahorias, los espárragos, las coles de Bruselas, los tomates, la clara de huevo y las nueces. Las investigaciones más recientes han demostrado que el zumo extraído de las bayas de aronia es también muy rico en flavonoides, que aportan mucho ácido fólico al organismo.

Según las autoridades sanitarias de algunos países centroeuropeos, la dosis diaria recomendada de ácido fólico asciende a 400 µg y no faltan asociaciones especializadas, por ejemplo, la alemana Deutsche Gesellschaft fur Ernährung e.V., que, con vistas a una prevención de la arteriosclerosis, eleva esa cifra a 600 µg para los adultos sanos. Lo deseable para administrar ácido fólico es realizarlo en forma de productos alimenticios naturales. Un complemento alimentario con ácido fólico sólo se debe realizar por recomendación expresa del médico.

Vitamina B_6

La vitamina B se ocupa, entre otras cosas, de la síntesis y la desintegración de los aminoácidos. En el metabolismo proteínico, la vitamina B_6 transforma la homocisteína en el aminoácido cisteína. Además de fomentar la síntesis de la lecitina, la vitamina B_6 contribuye a la interconexión entre las fibras de colágeno y de elastina. La lecitina favorece la elasticidad del tejido conjuntivo y mantiene lisas y pulidas las paredes del interior de los vasos. Un nivel de lecitina bastante elevado se considera conectado, además, al colesterol nocivo (colesterol LDL).

Un estilo de vida activo

Para mantener el impulso del sistema circulatorio, la mejor medicina es la práctica regular de ejercicio. De hecho, las personas que no practican ningún deporte tienen un riesgo de infarto cardíaco tres veces superior al de sus congéneres más activos. Es más que suficiente con media hora semanal de un ligero entrenamiento de resistencia para mantener activo el corazón. En ocasiones, lo más sencillo es integrarse en algún grupo o asociación para obligarse a mantener un horario regular de entrenamiento. Es aconsejable asistir a grupos deportivos específicos para personas mayores. Son muchos los países occidentales que disponen de numerosas ofertas a este respecto. También son numerosos y variados los deportes que se pueden practicar incluso a edades muy avanzadas y, de hecho, nunca es demasiado tarde para comenzar a practicarlos. Es preciso disponer de una mente saludable a fin de proteger el organismo del estrés y evitar de esa forma una elevada presión sanguínea. Quien sea propenso a sufrir afecciones cardiocirculatorias debe aprender a eludir el estrés y conseguir un equilibrio relajante.

Fuente de bienestar: el sistema digestivo

Los problemas de estómago y de intestino forman parte de los trastornos que surgen en primera instancia si se tienen unos hábitos de vida poco saludables y hacen que el cuerpo envejezca más de prisa. Una alimentación de tipo sensato no sólo puede prevenir las dolencias digestivas, sino también otras enfermedades derivadas, como la elevada predisposición al padecimiento de afecciones infecciosas, dolencias articulares y procesos de autoinmunidad. Por eso, el sistema digestivo puede ser una fuente de bienestar físico y de salud.

Que la salud viene del intestino es algo que ya conocía la medicina tradicional china.

Estómago e intestino

El aparato digestivo realiza una de las tareas más importantes de nuestro organismo: la admisión, el procesamiento y, por último, la absorción de nutrientes y líquidos. Por medio de este proceso se forman, a partir de las sustancias contenidas en los alimentos, otros dos componentes muy valiosos para el organismo; por ejemplo, a partir de los hidratos de carbono se genera la glucosa, y a partir de las grasas (triglicéridos) y de las sustancias proteínicas surgen los aminoácidos.

El significado de la digestión

La digestión de los alimentos significa posibilitar el metabolismo y la clasificación de las sustancias según sean útiles o inútiles para el organismo. Eso hace que el sistema digestivo esté en relación directa con el medio ambiente.

Desde la boca al estómago...

La digestión no comienza en el estómago ni el intestino, sino que ya lo hace en la boca. Aquí el alimento se empieza a procesar por medio de la masticación y de la saliva, así como por la actuación de las primeras enzimas digestivas. El tubo digestivo transporta el alimento al estómago, donde los ácidos gástricos lo convierten en una papilla. Se inicia entonces la digestión de las proteínas y se destruyen los agentes patógenos.

... y del estómago al intestino

A través del píloro, un músculo situado en la salida del

estómago, la papilla alimenticia (quimo) llega al intestino. El intestino delgado es el lugar más importante de la digestión. Aquí una gran cantidad de enzimas digestivas descompone los alimentos en elementos tan pequeños que pueden penetrar a través de las paredes del intestino y ser absorbidas por la sangre. Los músculos que rodean las paredes del intestino delgado se ocupan de que se produzca una buena mezcla de la papilla alimenticia y de su posterior transporte al intestino grueso, donde se extraerá el agua y las sustancias minerales, y la papilla continuará su avance. La flora del intestino grueso se ocupa de la desintegración de los componentes alimenticios no digeribles, como la fibra. Cuando el intestino se llena, los músculos intestinales transportan su contenido hacia el recto, donde se almacenan las deposiciones hasta su posterior eliminación. Una vez que se haya reunido la cantidad suficiente, se desencadena el reflejo de vaciado.

Un importante auxiliar de la digestión: la flora intestinal

La flora intestinal es un fenómeno singular en el aparato digestivo. Está compuesta por miles de millones de pequeños microorganismos que recubren en forma de red toda la zona interna del intestino. Durante mucho tiempo no se supo con demasiada claridad la función que cumplía. Mientras que en otras partes del organismo esas grandes cantidades de bacterias provocarían inflamaciones y enfermedades, en circunstancias normales la flora intestinal es capaz de tolerarlas. La barrera intestinal se ocupa de que permanezcan en el intestino grueso y no penetren en el organismo.

Evitar los fallos de la alimentación

El espectro de tareas de la flora intestinal va desde la depuración de la comida ingerida, pasando por la producción de importantes nutrientes, hasta llegar a colaborar con nuestro sistema inmunitario. A partir de fibra y otros carbohidratos complejos que las enzimas orgánicas no son capaces de digerir, la flora intestinal ayuda a la formación de ácidos grasos de cadena corta que sirven a las células intestinales como sustancias alimenticias necesarias para su vida. Para mantener sana la flora intestinal se debe evitar, sobre todo, un exceso de hidratos de carbono simples (por ejemplo, harina blanca, azúcar blanco) y un consumo elevado de alcohol. La fibra se encuentra sobre todo en las capas que envuelven los cereales, la harina integral de centeno y de trigo, en las bayas y en varios tipos de coles, como la col verde, las de Bruselas y el repollo. También los frutos secos y las frutas desecadas tienen un elevado contenido de fibra.

Pesadez intestinal, ¿un síntoma de la edad?

La pesadez intestinal y el estreñimiento no sólo se pueden atribuir al proceso de envejecimiento. Algunas enfermedades, determinados medicamentos, las oscilaciones hormonales, el estrés y la falta de líquidos pueden perturbar las funciones intestinales. Con la edad, esos factores van en aumento, lo que provoca o refuerza el estreñimiento. Esto reside en la sencilla circunstancia de que muchos procesos orgánicos se hacen más lentos de lo que eran al principio. Esto afecta tanto al metabolismo como a la eliminación de los residuos digestivos, así como a la actividad de los músculos del intestino grueso. Por esa misma razón, son muchas las ocasiones en que se reduce la sensación de sed, no se toleran bien los alimentos ricos en fibra y se hace más difícil la actividad física.

El cerebro piensa más que el estómago

Los procesos de regulación del aparato digestivo son controlados por el sistema nervioso intestinal.
Con más de cien millones de neuronas, supone, a excepción del sistema nervioso central (SNC), la mayor reunión de células nerviosas del cuerpo humano y está unido a través del denominado nervio vago al centro de sensaciones del cerebro. De esa forma se puede explicar muy bien que un enfado se refleje en el estómago o que una buena comida nos proporcione una sensación satisfactoria. La neurobiología actual asegura que a través del *nervus vagus* el cerebro no sólo informa sobre el estado actual del sistema digestivo, sino también del estado de otros muchos órganos, así como del sistema inmunitario.

Hígado, vesícula biliar y páncreas

La digestión en el intestino está secundada por varios órganos internos, y todos juntos forman una unidad funcional. A pesar de que por lo general no lo sentimos, el hígado, la vesícula biliar y el páncreas juegan un papel muy importante a la hora de regular nuestro presupuesto corporal. El hígado es la mayor glándula del cuerpo y se responsabiliza de una gran cantidad de tareas dentro del metabolismo. Las muy especializadas células del hígado responden del metabolismo energético del cuerpo y controlan la transformación de hidratos de carbono, grasas y proteínas en sustancias propias del cuerpo. Además, el hígado produce la bilis que facilita, entre otras cosas, la absorción de grasa en el intestino.

Los importantes órganos reguladores del cuerpo

En la vesícula biliar se reúne la bilis procedente del hígado y desde allí es enviada, poco a poco, al intestino delgado. El páncreas forma también jugos digestivos (amilasas, lipasas, tripsina, quimotripsina y otras) que son los encargados de la descomposición de los almidones y otros complejos hidratos de carbono para convertirlos en azúcares dobles (por ejemplo, la maltasa), así como para la transformación de las proteínas en péptidos. Esta función se activa nada más comenzar a comer o beber. Otra función del páncreas es la producción de hormonas. En los denominados islotes de Langerhans se generan dos importantes hormonas: el glucagón y la insulina. Ambas tienen efectos sobre los niveles de azúcar en sangre: la insulina hace descender ese nivel y el glucagón lo incrementa.

Forma óptima de tomar precauciones

El menú diario tiene gran influencia sobre la digestión. La cantidad y la calidad de lo que comemos influye de inmediato en nuestras funciones digestivas. El hígado, la vesícula biliar y el páncreas son órganos tan importantes que se debe hacer lo posible para evitarles enfermedades que, la mayoría de las veces, aparecen y cursan sin ser advertidas, pues esos órganos mantienen su trabajo a pesar de estar severamente dañados. Los siguientes hábitos de vida, además de la predisposición genética, perturban la funcionalidad del aparato digestivo:

- Comer mucho, muy graso y muy dulce
- Comer de forma compulsiva, disfrutando poco
- Sobrepeso
- Poco ejercicio físico
- Nicotina y consumo regular de grandes cantidades de alcohol
- Ingesta incontrolada de medicamentos durante un período de tiempo prolongado
- Poca relajación en la actividad diaria

El cambio a un tipo de alimentación razonable, repleta de satisfacción y que se limite en exclusiva al consumo energético individual, sirve como eficaz medida preventiva para todas las dolencias del aparato digestivo. También es de gran importancia que el médico realice un control regular de los niveles sanguíneos.

Cómo mantener equilibrado el nivel de azúcar en sangre

La insulina generada en el páncreas regula la concentración de glucosa en la sangre. La glucosa sube de forma especial después de la ingesta de hidratos de carbono. La influencia de la insulina en el interior de las células provoca que se admita más glucosa y se transforme en energía.
Ambos mecanismos hacen que descienda el nivel de azúcar en sangre. Los hidratos de carbono complejos, como los de los productos integrales, las frutas y las verduras, se cuidan, al contrario que los carbohidratos simples (por ejemplo, la harina y azúcar refinadas), de que aparezca una lenta desintegración de la glucosa, una demora en la elevación de los niveles de azúcar en sangre y, con ello, proporcionan una sensación prolongada de saciedad.

Sustancias *well-aging* para el sistema digestivo

Además de una alimentación equilibrada y sensata, con unos pocos alimentos seleccionados se puede hacer mucho en favor de la vitalidad del sistema digestivo.

Probióticos

Los probióticos son gérmenes vivos muy favorables para la salud y la vitalidad del intestino. Existen en forma de bacterias del ácido láctico en el yogur, el kéfir, el queso quark y otros productos lácteos. Hace pocos años, el concepto «probiótico» era muy controvertido. Ahora las investigaciones clínicas han determinado que cepas específicas de lactobacillus o incluso los E. coli fortalecen el sistema inmunitario y la salud del intestino.

Prebióticos

Los prebióticos ayudan a que disminuya el crecimiento de bacterias dañinas en el intestino. Se ocultan en la fibra y en los hidratos de carbono complejos, y pueden influir

Las bayas los contienen en su interior: los polifenoles contenidos en las uvas son unos poderosos antioxidantes. Protegen, entre otros, al sistema cardiocirculatorio y mantienen la elasticidad de los vasos.

de forma favorable en el crecimiento y el efecto de los probióticos. Una administración suficiente de fibra y la compensación de los hidratos de carbono simples (por ejemplo, el equilibrio del azúcar, la fructosa o los productos de harina blanca) por medio de los hidratos de carbono complejos (fibra) tiene, desde muchos puntos de vista, un efecto vitalizador para el sistema digestivo. La fibra sólo existe en los alimentos vegetales. Tan pronto como se eleve el contenido de alimentos vegetales en la dieta, aumentará de forma automática la ingesta de fibra. Por ello es muy necesario tomar bastante fruta fresca, verdura y productos integrales. Además, la fibra se ocupa de que en el intestino grueso exista una flora intestinal sana y se encarga de acumular las sustancias no deseadas, como el colesterol, las sales biliares o las sustancias tóxicas. Actúa de forma natural en el vaciado del intestino, regula las deposiciones, reduce los gases e incrementa el bienestar del individuo. También, y no se debe considerar en último lugar, una alimentación rica en fibra previene frente al cáncer de intestino. Quien ingiera cada día 30 g de fibra evitará un fuerte sobrepeso y, a partir de los cuarenta y cinco años de edad, si cada diez años se realiza un examen intestinal se puede evaluar tal peligro. Para aportar 30 g de fibra se deben consumir, por ejemplo, 200 g de verdura, tres manzanas o cualquier otra fruta; o bien 100 g de productos integrales como el pan o la pasta (10 g).

¡Beber bastante!

Con la edad disminuye la sensación de sed. Pero el metabolismo y el cerebro precisan de aportaciones de líquido para poder funcionar de forma adecuada. Quien se alimente con sustancias ricas en fibra, debe beber lo suficiente para favorecer el tránsito intestinal. Cualquiera se puede acostumbrar a beber lo suficiente. Por la mañana se pueden preparar dos botellas de agua mineral, o bien dos termos de infusión de hierbas. Cuando se sale a la calle hay que tener la precaución de disponer de algo de bebida. Y no sólo es importante la cantidad de líquido, sino también lo que se bebe. Lo más recomendable es agua mineral o del grifo, infusiones de hierbas, frutas o cualesquiera otras que estén libres de cafeína, así como preparados a partir de zumo de frutas diluido en agua en una relación 1:1. Hay que evitar los zumos puros de fruta, los néctares o las bebidas de fruta que contengan mucho azúcar.

Sustancias vegetales secundarias

También los polifenoles (sustancias vegetales secundarias) del té desencadenan un efecto prebiótico a pesar de que no favorecen demasiado el crecimiento de bacterias saludables. Un estudio ha determinado que los polifenoles del té pueden contribuir a favorecer el balance probiótico en el intestino e inhibir el crecimiento de las bacterias dañinas. Además, la catequina (polifenol) contenida en el té sirve de antioxidante y, por lo tanto, de elemento rejuvenecedor.

Cambios hormonales y menopausia

Hay que darle brío y alegría a la vida cotidiana.

La denominada menopausia hace referencia a las modificaciones en el cuerpo de ambos sexos, aun cuando en los hombres son menos llamativas. Esas modificaciones se hacen visibles a partir de los cincuenta años de edad. La menopausia es un proceso natural que se desarrolla a lo largo de varios años. Hay dos momentos en la vida de los seres humanos en los que se produce un cambio en las hormonas: en el comienzo de la madurez sexual (la pubertad) y al final de esa etapa. En el caso de las mujeres es el momento de la menopausia o el climaterio, mientras que en hombres se denomina andropausia o climaterio masculino.

Despedida de la fertilidad

El punto central del cambio en el sistema hormonal de las mujeres es la pérdida de la fertilidad. En el caso del hombre, en principio se mantiene la capacidad reproductiva aunque desciende bastante la probabilidad de que ocurra, lo que no impide que, en ocasiones y aún a edades muy avanzadas, todavía se produzca semen fértil. A pesar de que la menopausia puede ir unida a una serie de trastornos transitorios, son muchas las mujeres que encuentran muy relajante la retirada de la menstruación y/o de los síndromes premenstruales. También pueden atrofiarse o incluso desaparecer los miomas uterinos o una endometriosis.

Cómo se modifica el equilibrio hormonal

A edad avanzada, en las mujeres se da una reducción de los gestágenos y, después, de los estrógenos ya que los ovarios terminan de producirlos. En el caso de los hombres, descienden las hormonas masculinas (andrógenos), en especial la testosterona y, de forma eventual, los estrógenos. También se reduce la distribución de dehidroepiandrosterona (DHEA), un primer nivel de la hormona sexual de las glándulas suprarrenales. Ese estado se denomina andropausia. A ello se añade una carencia avanzada de la hormona de crecimiento (somatopausia), con lo que todos los procesos de estructuración y regeneración del cuerpo se ven ralentizados.

Trastornos durante la menopausia

Las modificaciones hormonales con los trastornos del climaterio se hacen visibles por determinados síntomas de distinta intensidad. Entre los más importantes se encuentran, en la mujer, el final de la menstruación. Otros síntomas importantes son:

- Sofocos
- Oscilaciones anímicas que pueden llegar incluso a la depresión, así como trastornos de la memoria, mareos, cansancio e irritabilidad
- Trastornos del sueño
- Incontinencia urinaria a causa de la debilidad del tejido conjuntivo, provocada por la carencia de estrógenos, y de la musculatura del suelo pélvico (esta última circunstancia provocada por embarazos y partos)
- Modificaciones en la piel y el pelo (pérdida de humedad, elasticidad y fortaleza condicionada por una menor formación del agua almacenada en las fibras colágenas, aumento de la aparición de arrugas, riego sanguíneo disminuido)
- Modificación de las mucosas (carencia de riego sanguíneo y sequedad de las mucosas)
- Aumento de peso
- Incremento del riesgo de arterioesclerosis e infarto cardíaco a causa de las modificaciones sufridas en el metabolismo de los lípidos
- Riesgo de osteoporosis
- Trastornos de la libido y la potencia sexual por la carencia de testosterona

Motor metabólico

La glándula tiroides es un órgano creador de hormonas que está controlado por el cerebro. Está situado en la zona del cuello, por debajo de la laringe. La característica especial de la glándula tiroides es su contenido de yodo, que es muy importante para el efecto de las hormonas. Si careciéramos de las hormonas de la glándula tiroides, en el organismo humano casi no funcionaría nada. Todo lo que se refiere a la frecuencia de los latidos y el vigor del corazón, la temperatura corporal, las transacciones energéticas de las células, el trabajo de la musculatura esquelética, el crecimiento y la maduración del sistema nervioso central, etcétera, se controla con la ayuda de las hormonas tiroideas. Basta una administración suficiente de yodo para que las hormonas de la glándula tiroides se generen con total regularidad.

Trastornos típicos de la glándula tiroides

En muchas ocasiones, la carencia de yodo es la causa principal de las enfermedades de la glándula tiroides, en especial cuando, con la edad, hay ocasiones en que se observa un aumento de esta glándula (estruma o bocio). Esta enfermedad afecta en algunos países de Europa Central a un tercio de la población adulta, y se refleja de forma muy distinta según las zonas geográficas; por ejemplo, hay regiones alpinas carentes de yodo en que el bocio aparece en más ocasiones que en territorios costeros. Además, las mujeres resultan más afectadas que los hombres. Si durante un prolongado espacio de tiempo se sufre de carencia de yodo, pueden darse otras modificaciones de la glándula tiroides como la aparición de nódulos tiroideos benignos, lo que genera una hiperfuncionalidad de la glándula. Una función errónea del sistema inmunitario es, por el contrario, la causa de la enfermedad de Basedow, así como la forma más común de hipofunción (tiroiditis de Hashimoto).

En el caso de una hiperfunción tiroidea se forman demasiadas hormonas (T3 y T4), mientras que la hipofuncionalidad acarrea, por el contrario, una carencia de esas hormonas. La consecuencia es un aumento del peso, el cansancio y la apatía que puede degenerar en depresión. Todas las alteraciones de la glándula tiroides deben ser tratadas por el médico a partir de medicamentos hormonales.

Prevenir con una alimentación adecuada

Un aumento de tamaño de la tiroides se puede prevenir por medio de una alimentación rica en yodo y la utilización de sal marina o de yodo en la cocina. Otras importantes fuentes de yodo son los productos integrales y el pescado. Muchas de las algas (por ejemplo, las algas kombu) utilizadas en la cocina asiática contienen yodo en abundancia. El cuerpo de un adulto necesita unos 200 µg diarios de yodo. Es poco probable padecer una sobredosis de yodo, ya que un kilo de sal yodada contiene sólo 20 mg de yodo, y las manifestaciones tóxicas aparecen a partir de 1 mg. De todas formas, las personas que padezcan una hiperfunción de la glándula tiroides deben ser muy cuidadosas con el yodo. Los alérgicos al yodo deben evitarlo por completo.

Sustancias *well-aging* para el equilibrio hormonal

Con la edad, se modifican las concentraciones y el comportamiento de las hormonas sexuales del organismo. Las modificaciones típicas de la menopausia, como el envejecimiento de la piel, no se pueden detener, pero sí que se pueden ralentizar con un cuidado regular, una alimentación equilibrada y una protección suficiente contra los rayos solares. Las dolencias de tipo vegetativo, como las oscilaciones de calor o los sofocos, también pueden reducirse con una alimentación que sea rica en fitoestrógenos, por medio de la ingesta de preparados vegetales con Cimicifuga racemosa o pimienta del monje (también conocida como agnocasto), con ejercicio físico regular o a través del aprendizaje de técnicas de relajación como las que se utilizan en el yoga.

Sustancias vegetales secundarias

Aquí se trata de contenidos alimentarios bioactivos de origen vegetal para los que se ha comprobado la existencia de características que favorecen la salud y, en parte, rejuvenecen. Las sustancias vegetales secundarias son generadas por las plantas con el objetivo de protegerse contra los parásitos y las enfermedades, además de servir como reguladores del crecimiento. La dosis diaria recomendada oscila entre 1 y 3 gramos.
Los representantes más importantes de las sustancias vegetales secundarias con efecto rejuvenecedor son:

› La alicina presente en el ajo (inhibidor de las inflamaciones, diluyente de la sangre)
› Los indoles y carotinoides que se hallan en las verduras (inhibidores del cáncer)
› La fitosterina contenida en partes de vegetales que son ricas en grasas como las semillas, las pipas de calabaza, los germinados de trigo, el sésamo y las judías de soja (disminuyen el colesterol)
› Los fitoestrógenos que se encuentran en las semillas de soja, la linaza, las legumbres y los cereales (reguladores hormonales)
› Los flavonoides (antioxidantes, reguladores del nivel de azúcar en sangre, rebajan la presión arterial)

Fitoestrógenos

Los estrógenos vegetales también pertenecen a las sustancias vegetales secundarias. Sus representantes más importantes son las isoflavonas y los liganos que contienen las habas de soja y el trébol rojo. Controlan, por ejemplo, los sofocos, protegen contra la osteoporosis y la arteriosclerosis, y tienen un efecto antioxidante. La ingesta de fitoestrógenos con la alimentación depende de las costumbres típicas de cada país. Los japoneses y los chinos consumen cada día y de media de 50 a 60 mg de fitoestrógenos, mientras que, por el contrario, la dieta mediterránea contiene de 15 a 30 mg de hormonas vegetales y la comida en otros países occidentales industrializados sólo aporta unos 5 mg de fitoestrógenos diarios. Puesto que en los países asiáticos los trastornos menopáusicos y los cánceres de mama y próstata aparecen con menos incidencia que en Occidente, cabe suponer que es aconsejable esa ingesta media de 50 a 60 mg diarios de fitoestrógenos.

Germinados y habas de soja

Las judías de soja y sus productos (por ejemplo, la leche de soja, el tofu, etcétera) son los suministradores principales de estrógenos vegetales y genisteína. Por este motivo, las habas de soja y los productos extraídos de ellas son un componente alimenticio que no deben eliminar de su dieta las personas de cualquier edad. Sin embargo, se debe tener en cuenta que la salsa de soja, por ejemplo, sólo contiene una mínima parte de fitoestrógenos, pues casi todo se pierde en los procesos de fabricación. También la mayoría de los brotes de soja que se pueden adquirir de forma habitual no son verdaderos germinados de habas de soja, sino de judías mung. Son muy sanos y sabrosos, pero aportan muy poca cantidad de fitoestrógenos. Los verdaderos germinados de soja con un contenido elevado de fitoestrógenos son mucho más pequeños que los de las mung y además presentan un sabor amargo intenso.

Tofu

Otro importante suministrador de fitoestrógenos de la comida asiática es el tofu. El queso quark está hecho a partir de habas de soja y es de un sabor neutro. En su preparación, las especias correspondientes son las que le aportan su sabor. Éste es el motivo por el se puede emplear en gran variedad de recetas. Además y debido a su elevado contenido proteínico, es un magnífico sustituto de la carne y por lo tanto juega un papel muy importante en la cocina vegetariana.

Suministradores de fitoestrógenos

Los alimentos con mayor cantidad de fitoestrógenos son las lentejas, el lino, los espárragos, los copos de avena y el ajo. Es importante mencionar que los fitoestrógenos de la alimentación sólo pueden desarrollar su efecto protector

Hay que probar la enorme variedad de la cocina del tofu. Es un verdadero «todoterreno»: ligero y sano, pobre en calorías, sin colesterol y rico en las beneficiosas proteínas.

en la menopausia si se integran a largo plazo en la alimentación y se consumen en cantidad suficiente.

Flavonoides

En los últimos años, los flavonoides han despertado mucha atención entre los círculos especializados. Un estudio controlado pudo demostrar que en el cuerpo humano desarrollan un efecto preventivo y curativo. Al grupo de los flavonoides pertenecen:

› Los flavonoles: quercetina, rutina, canferol
› Los flavanoles: catequina, galato de epigalocatequina, teaflavina
› Las flavanonas: naringenina
› Los isoflavonoides: genisteína
› Los antocianos

Los alimentos o las bebidas (por ejemplo, las infusiones) que contienen flavonoides no deben nunca combinarse con la leche, pues el saludable efecto de aquéllos es anulado por la caseína de ésta.

Quercetina

La quercetina pertenece a los flavonoles. Esta sustancia vegetal aparece sobre todo en la cáscara de las manzanas y las cebollas, así como en la piel de las uvas. Su efecto más importante es el de actuar de antioxidante, además de ser un diluyente de la sangre y evitar la arteriosclerosis. También se ha comprobado, al menos en estudios realizados con animales, que la quercetina tiene la capacidad de incrementar tanto la fuerza muscular como el rendimiento cerebral.

Resveratrol

El resveratrol es otro conocido componente de los flavonoides que también posee un efecto rejuvenecedor basado sobre todo en sus características antioxidantes. El resveratrol protege los vasos, disminuye la peroxidación lipídica de las lipoproteínas (LDL) y con ello reduce la formación de placas en las paredes internas de los vasos. La sustancia vegetal se encuentra sobre todo en las uvas, aunque también la contienen las frambuesas y las nueces. El resveratrol favorece, de modo semejante a una dieta pobre en calorías, la segregación del denominado gen sirtuína SIRT1. En estudios realizados con animales se ha comprobado que alarga la vida y tiene un efecto rejuvenecedor. Además, protege frente al incremento de peso y eleva el rendimiento de resistencia.
Otra importante característica del resveratrol es que ayuda a destruir las células cancerígenas, pues tiene un efecto inhibidor ante determinadas proteínas en el núcleo de las células (NF-kB). El resveratrol posee una estructura similar a la de los estrógenos y en casos eventuales también puede proteger del cáncer de mama. Las sustancias afines al resveratrol que se encuentran en las granadas poseen unos efectos análogos, pero es posible que sean mucho más efectivas ya que el organismo las asimila mejor. Los conocimientos sobre esta sustancia son bastante recientes y se basan en parte en estudios experimentales con animales, por lo que deben ser objeto de más investigaciones.

Centinela de nuestra salud: el sistema inmunitario

Los frutos secos y las semillas son unos magníficos proveedores de zinc y también pueden aportar una variación de sabor en la dieta diaria.

Debido al envejecimiento natural del sistema inmunitario, el cuerpo se hace cada vez más propenso a las infecciones. Las vacunas ya no se toleran bien y los procesos curativos se prolongan.

Una alimentación con carencias y poco equilibrada, así como los procesos crónicos inflamatorios del organismo, aceleran la debilidad de las defensas inmunitarias a medida que avanza la edad. Por ese motivo, en medicina se distingue entre personas mayores sanas con alimentación normal y personas mayores enfermas con incierta condición alimentaria que se puede hacer visible por una carencia de micronutrientes y/o pérdida de peso.

Cómo envejece el sistema inmunitario

A lo largo del proceso de envejecimiento se produce, en primer lugar, una modificación de la distribución de las células T (linfocitos T) en la sangre, lo que actúa en la defensa inmunitaria de un importante grupo de células sanguíneas. Más tarde se llega a una reducción de las funciones celulares T y a la debilitación de otro mecanismo de defensa. Las modificaciones se aprecian en la atrofia de los tejidos del timo, en los denominados timocitos (prelinfocitos T) en los que se han transformado las células T. En las personas mayores, el timo es reemplazado por tejido adiposo. Estas modificaciones orgánicas hacen que sea cada vez más normal la aparición de infecciones y la presencia de enfermedades tumorales. Además, el sistema inmunitario es menos efectivo en el reconocimiento y la destrucción de las células degeneradas.

Aporte adecuado de sustancias alimenticias

En la actualidad se sabe que la capacidad funcional de nuestro sistema de defensa a edades avanzadas depende de una administración de alimentos adecuada. Incluso se ha discutido si el aumento de enfermedades condicionadas por la edad se refiere de hecho al proceso del envejecimiento en sí o si, por el contrario, es más bien una consecuencia de hábitos alimentarios poco adecuados. Por este motivo, cualquier forma carencial de macronutrientes, por ejemplo, la falta de energía y albúmina en la alimentación, así como una deficiencia de micronutrientes, por ejemplo, de las vitaminas B_6, B_9 y B_{12}, hierro, zinc y selenio, pueden producir el debilitamiento del sistema inmunitario.

Sustancias *well-aging* para el sistema inmunitario

Se puede evitar el envejecimiento precoz de nuestro potencial defensivo. Es importante alcanzar y conservar el peso normal, así como el mantenimiento de la masa muscular. Los micronutrientes antes nombrados deben estar presentes en cantidad suficiente en la alimentación y se deben controlar con análisis de sangre periódicos.

Zinc

El zinc se encuentra, lo mismo que el hierro, en las carnes rojas que, a pesar de algunos inconvenientes relativos al desarrollo de enfermedades cardiocirculatorias y tumorales, debe estar siempre presente en el menú de una persona adulta. Tan nocivo es el exceso como el defecto de la misma. Comer una vez a la semana carne roja es saludable, pues además de aportar hierro y zinc, también es una fuente de la importante albúmina (proteínas). Otros buenos manantiales de proteínas son los productos lácteos (siempre que no exista intolerancia a la lactosa) y el pescado. Este proveedor de zinc también debe consumirse, por otros motivos relacionados con la salud, de una a dos veces por semana. El zinc se encuentra además en productos integrales, los germinados de trigo, los aceites vegetales, las nueces y las lentejas.

Vitaminas B

Las vitaminas B_6, B_9 (ácido fólico) y B_{12} son necesarias para el cuerpo no sólo como prevención a causa de un sistema inmunitario débil, sino también para un buen rendimiento cerebral (véase la página 35). La mejor fuente de vitaminas B_6, B_9 y, en especial, B_{12} es el hígado, por lo que esta víscera debería consumirse una vez al mes. Una de las medidas más efectivas para la protección del sistema inmunitario y de defensa frente a los procesos de envejecimiento es una adecuada inhibición de la ingesta de calorías.

Así apoyamos a nuestro sistema inmunitario

Así apoyamos a nuestro sistema inmunitario
Actúan en la prevención de infecciones:

- Las variedades de frutas y verduras ricas en vitamina C, como el kiwi, los cítricos, el pimiento verde, el chucrut, la remolacha roja y las patatas.
- Los flavonoides, como la quercetina. Son notables la cebolla, la col verde, las manzanas y las bayas. Un estudio clínico ha dado como resultado que la quercetina de la cebolla cocinada es la que tiene mayores efectos en el organismo.
- La col, al igual que los berros, los rábanos, la mostaza y el aceite de mostaza, colaboran en la defensa del organismo.
- El ajo es posiblemente el alimento con mayor efecto antimicrobiano. Este efecto se basa en sus componentes ricos en azufre.
- Los probióticos contenidos en algunos yogures protegen contra resfriados y refuerzan las defensas.

Bebidas útiles frente a las enfermedades:

Una administración suficiente de líquidos en forma de agua, infusiones de hierbas y también zumos es más importante incluso que la comida, ya que en circunstancias de enfermedad el cuerpo está demasiado afectado y contaminado.

- Las infusiones de flores de tilo y saúco tienen efectos sudoríferos.
- Las infusiones de flores de manzanilla y tilo y las de corteza de sauce son febrífugas.
- La infusión de escaramujos es rica en vitamina C y favorece las defensas.
- Zumo de remolacha roja: un cuarto de litro diario; debido a la betanina que contiene, anula la acción de virus y bacterias.
- Zumo de uvas rojas: un cuarto de litro al día; el resveratrol y la quercetina que aporta fortalecen el sistema inmunitario.
- Zumo de espino amarillo: dos veces al día un cuarto de litro de jarabe de espino amarillo diluido en agua. Los 500 mg de vitamina C que contiene reducen la duración y la severidad de las infecciones.
- Zumo de zanahorias / naranjas: un octavo de litro al día; la beta-carotina y la vitamina C que contienen estos zumos fortalecen las defensas orgánicas.

Nuestro sistema de control en la cabeza: el cerebro y los nervios

A una edad avanzada, el cerebro necesita algo más de tiempo para ciertas cosas. Por ejemplo, ya no se reacciona tan rápido ante determinados estímulos, como el tráfico de las calles, y resulta más laborioso conseguir aprender algo nuevo. Al mismo tiempo y en contraposición, se dispone de mayor experiencia vital. Esa circunstancia facilita la adopción de decisiones más rápidas y seguras frente a lo que haría una persona joven y, por tanto, se compensan las posibles pérdidas en otros ámbitos. En los casos normales el cerebro es capaz de aprender y rendir servicio hasta edades muy avanzadas.

Hay que abastecerse de suficiente líquido. Una taza de té se ocupa de que exista relajación y bienestar.

La importancia de mantener un entrenamiento del cerebro

Conservar el bienestar mental puede hacer mucho en favor de cada individuo. La regla más importante es la siguiente: el cerebro debe ser sometido a exigencias. Quien durante su vida haya practicado un «entrenamiento cerebral» en forma de actividades creativas que favorezcan la actividad mental, como leer, resolver pasatiempos o asistir a cursos de cualquier tipo de formación, habrá mantenido jóvenes sus funciones cerebrales. A eso se refiere el contenido del proverbio inglés: «Use it or lose it», que podría traducirse como algo parecido a: «Utilízalo o piérdelo».

Alimentación y cerebro

En la actualidad, nadie duda que la alimentación y la salud mental van muy enlazadas. Una alimentación adecuada mantiene en forma las células grises y ayuda a utilizar de forma óptima su capacidad de rendimiento. Ningún otro órgano del cuerpo es tan propenso a lesionarse como el cerebro. Para que pueda funcionar sin ningún problema, las células nerviosas (neuronas) necesitan de una equilibrada mezcla de nutrientes, tanto de tipo macro como de micro, pero sobre todo energía y agua. Los estados leves carenciales, que en muchas ocasiones permanecen ocultos, llegan a acarrear severas consecuencias. Así, junto al estrés y la escasez de sueño, también la avitaminosis o la falta de ciertos oligoelementos, pueden conducir a serios trastornos en la capacidad cerebral e incluso del bienestar mental.

Sustancias *well-aging* para el cerebro y los nervios

El 60% de la masa cerebral, poco más o menos, está formado por moléculas de grasa y por esa causa el cerebro es muy propenso al estrés oxidativo. Una elevada administración de ácidos grasos saturados, por ejemplo, en forma de carne, embutido y queso graso, eleva esa propensión y puede conducir a trastornos del rendimiento cerebral. Este órgano necesita, por tanto, que se le administre una elevada cantidad de antioxidantes, como las vitaminas C y E, así como sustancias vegetales secundarias y otros captadores de radicales. Para eso lo mejor es un menú rico en cambios que rompan la monotonía de la dieta, con gran cantidad de fruta fresca y verdura, productos integrales, lácteos sin grasa, carne magra y pescado. De esa forma, el organismo obtiene proteínas, grasas, carbohidratos, vitaminas, minerales, oligoelementos y sustancias vegetales secundarias de forma muy beneficiosa y en la proporción adecuada. Ya que con la edad disminuye el riego sanguíneo de todos los órganos y el cerebro acusa esta circunstancia con gran sensibilidad, es muy importante una administración suficiente de líquidos; se aconseja el consumo de al menos dos litros de agua por día o bien 30 ml por cada kilogramo de peso corporal.

Glucosa

Para la obtención de energía, las células nerviosas, en contraposición a otras células, no queman ácidos grasos sino que utilizan la glucosa como energético. El suministro de glucosa del cerebro es, por lo tanto, una necesidad vital del organismo. En el caso de que exista una carestía por debajo de los límites adecuados, el metabolismo se sirve de los músculos. Para prevenir una desintegración muscular es necesario mantener una alimentación equilibrada, siempre con una cantidad mínima de glucosa que se debe obtener, en la medida de lo posible, de productos integrales.

Selenio

El selenio es un oligoelemento que destruye los peróxidos (radicales con enlaces de oxígeno) formados durante el metabolismo de los lípidos. Un buen abastecimiento de selenio eleva el ánimo de forma muy considerable. Además, previene ante enfermedades del músculo del corazón y el cáncer. Las necesidades diarias oscilan entre los 500 y los 100 µg, y a partir de los 2 mg puede llegar a ser tóxico. El selenio aparece en la carne, las vísceras, el pescado, los huevos y los cereales.

Vitamina B

Un aporte adecuado de vitamina B es muy importante para el rendimiento cerebral y el bienestar mental. Una administración insuficiente de vitamina B_6 (piridoxina), B9 (ácido fólico) y B_{12} (cobalamina) se manifiesta en muchas ocasiones por un estado anímico depresivo, o bien por una elevada irritabilidad. Quien esté afectado de forma continuada por el cansancio, puede encontrar la causa en muchas ocasiones en una baja concentración de vitamina B_1 en sangre. La vitamina B_{12} puede mejorar el rendimiento de la memoria a partir de una edad mediana. Además, hay que tener en cuenta que la demencia senil puede disminuirse con una administración suficiente de vitamina B_{12}. Las vitaminas B_1 y B_6 aparecen en muchos alimentos, como el hígado, los productos lácteos y las carnes, el pescado, las verduras, los cereales, las nueces y las semillas, así como los plátanos. La vitamina B9 se encuentra en el hígado, los productos integrales, las verduras de hoja verde, la remolacha roja, las espinacas, el brécol, las zanahorias, los espárragos, las coles de Bruselas, los tomates, la yema de huevo y las nueces. La vitamina B_{12} se halla sobre todo en el hígado, ya que es allí donde se almacena, así como en los productos lácteos y la carne.

Aceite de pescado

En los últimos tiempos han surgido muchas controversias sobre el aceite de pescado y su significado para el mantenimiento de las funciones cerebrales. En el marco del «Framingham Heart Study», los individuos objeto del ensayo comían mucho pescado, y con él un determinado ácido graso, el omega-3 (ácido docosahexaenoico); en este colectivo se pudo registrar la mitad de casos de demencia que en las personas que no ingerían tanto pescado. Este resultado fue conformado también con otros estudios. De todas formas, el aceite de pescado sólo surte efectos preventivos. Lo ideal es una dosis de 0,2 g a 1,7 g de ácido docosahexaenoico al día, lo que se corresponde con entre 10 y 90 gramos de atún al día, o bien dos raciones de pescado a la semana.

Por el momento no existe ninguna prevención por parte de la medicina nutricional ni ninguna medida posible contra el Alzheimer que una ingesta suficiente de ácidos grasos omega-3. Además, para las dosis comentadas no se conocen efectos secundarios.

El aparato locomotor y de apoyo: los huesos y las articulaciones

Más que ninguna otra parte del cuerpo, nuestra estructura de apoyo en el interior del organismo es la que acusa el paso de los años. La masa ósea y la densidad de los huesos empieza a disminuir a partir de los treinta años de edad. En el caso del hombre ese proceso continúa de forma constante, mientras que en la mujer desciende de forma brusca en la fase de la menopausia (véase la página 28). Para esa evolución resulta decisiva tanto la calidad de la masa ósea y la velocidad en la que se produce la involución de los huesos, así como los factores que influyen en esa desintegración.

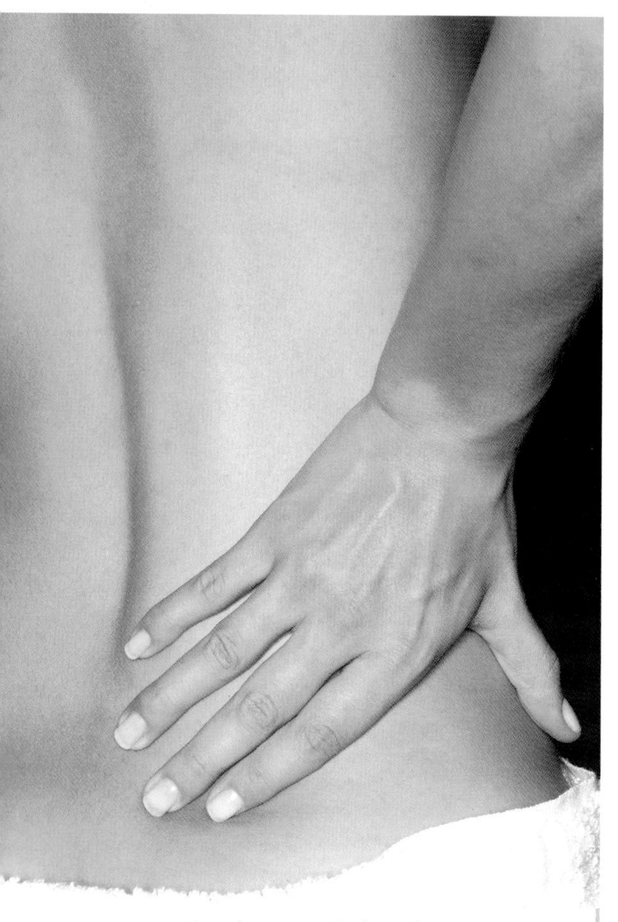

La columna vertebral: esa elegante estructura en doble «S» que nos mantiene erguidos y estabilizados. De ello se ocupan más de trescientos músculos que forman el corsé de la espalda.

Posibles fenómenos de desgaste

Los huesos están compuestos en sus dos terceras partes de hidroxyapatita, que contiene sobre todo calcio y aporta estabilidad a los huesos. Lo importante para uno esqueleto firme son, además, las sustancias minerales, las fibras colágenas y un buen riego sanguíneo. Mientras que los denominados osteoblastos se encargan de la producción del tejido óseo, los osteoclastos tienen la misión de desintegrar esos tejidos ya envejecidos. Su comportamiento está controlado en lo fundamental por hormonas (andrógenos y estrógenos) que, con la edad, disminuyen. Si prevalece esa descomposición y desintegración se llega a la osteoporosis, y la consecuencia es una acusada tendencia a las fracturas. Los factores de riesgo más importantes son, además de los estados carenciales de estrógenos y testosterona, la nicotina, el abuso de alcohol, la falta de ejercicio, los medicamentos y una alimentación inadecuada.

Riesgo de artrosis

La artrosis es la causa más común de los defectos de movilidad defectuosa en las personas mayores. Todo radica en alteraciones del cartílago articular que cursan, por regla general, a causa del proceso de envejecimiento y de las sobrecargas, así como por una defectuosa posición de las articulaciones y la presencia de sobrepeso. A pesar de que la alimentación siempre es un factor que influye en la aparición de la artrosis, esa circunstancia continúa siendo muy controvertida y apenas existen estudios clínicos que

De moda: comer y disfrutar

Por suerte, en casi todos los países de Europa hay cada vez hay más personas que conceden importancia a la comida como virtud cultural y que cultivan la alegría del disfrute y la preparación de las comidas. Seguro que cualquier lector de este libro se encuentra entre ellos. Esa tendencia no sólo se reconoce por el grato desarrollo de la cocina *gourmet* y el renacimiento de la refinada cocina regional. Cuanto más sabemos sobre los alimentos, más aprendemos a valorar los productos de valiosas cualidades que nos proporcionan los cultivos ecológicos y la crianza de animales adaptada a su especie. Cuanto más disfrutamos con ello de forma consciente y no adulterada, más hacemos por nosotros mismos, por nuestro bienestar y por una sensación de vida larga y positiva. ¡Y eso hasta edades muy avanzadas!

aporten una relación clara entre alimentación y artrosis. Dado que el sobrepeso sí es un notable factor de riesgo para el desarrollo de la artrosis, una reducción del mismo puede ser la medida preventiva más importante.

Sustancias *well-aging* para los huesos y las articulaciones

El ejercicio físico regular y no exagerado, una alimentación equilibrada rica en minerales y, sobre todo, conseguir alcanzar el peso normal y mantenerse en él son las mejores medidas *well-aging* para los huesos y las articulaciones.

Calcio

Para protegerse contra la osteoporosis lo más recomendable a partir de los sesenta y cinco años es la administración diaria de 1.000 mg de calcio. Esa cantidad se puede obtener con 800 mg de leche, 500 g de col verde, 100 g de queso duro o bien 3 litros de agua mineral, y mejor aún si se combina con 10 µg de vitamina D (calciferol) contenidos, por ejemplo, en 3 g de aceite de hígado de bacalao, 100 g de pescado, 200 g de carne de cordero o 2 huevos. Si se renuncia al azúcar, a los hidratos de carbono refinados y tanto a la nicotina como al alcohol, se descongestionará el metabolismo y se ralentizará el proceso de desintegración ósea. Otras fuentes importantes de calcio son los derivados de la soja, las verduras verdes, las zanahorias, las nueces y el pescado (en especial el salmón y las sardinas).

Antioxidantes

Los antioxidantes se presentan en ciertos contextos como «medios antiedad», pero también son válidos contra la artrosis. Algunos estudios han demostrado el positivo efecto de la vitamina E en ese sentido. También puede resultar muy recomendable un «cóctel antioxidante» preparado a partir de vitaminas A, C, E y selenio. Todas las medidas nutricionales contra la osteoporosis ejercen un efecto positivo en cuanto a la inhibición de los trastornos provocados por la degeneración articular. Evitar los esfuerzos excesivos y el sobrepeso, y unir a eso una alimentación sana con abundante presencia de verdura y fruta, son, con toda probabilidad, las medidas preventivas más eficaces contra la artrosis en lugar de la controvertida terapia de sustratos con «nutraceúticos» (suplementos nutricionales), como la glucosamina y el sulfato de condroitina que se utilizan para fomentar los procesos reparativos de las articulaciones óseas.

Comer sano a edad avanzada

A edades avanzadas es muy importante tener la mayor regularidad posible en cuanto a los horarios de las comidas. El metabolismo trabaja con mayor lentitud y ya no se activan tanto las sensaciones de hambre y sed. Por eso, a tales edades es necesario mantener de la forma más consecuente posible las tres comidas diarias con pausas entre ellas de tres a un máximo de cinco horas. Es aconsejable no tomar nada antes de irse a dormir, ya que es una alimentación poco adecuada y una forma de evitar el sobrepeso.

Hay que tomarse tiempo para comer y hacerlo, si es posible, en compañía y disfrutando con lo que se come. Una comida rápida trastorna la digestión. Las comidas preparadas, los aperitivos y la comida rápida llevan a comer con prisas y en exceso, y eso debe evitarse a toda costa. En cambio, quien se preocupe en tomar una alimentación rica en productos frescos, se aprovisionará de forma automática de vitaminas, antioxidantes y sustancias vegetales secundarias. Un mantenimiento de provisiones de reserva y una preparación cuidadosa y tranquila hacen que la pura ingestión de los alimentos se convierta en un acto creativo y placentero con el que se participa de forma activa en la consecución de una mejor calidad de vida.

¡RECETAS SABROSAS PARA LA PRIMAVERA ...estimulantes y reconstituyentes!

En los árboles aparecen los primeros brotes verdes y de la tierra asoman tiernas briznas en busca de la luz del sol. Es en primavera cuando se reanima el espíritu vital. Una alimentación ligera basada en las primeras frutas, hortalizas y verduras recién cosechadas es, sin duda alguna, lo más adecuado para el cuerpo. Las fresas, los espárragos, los ajos y similares se ocuparán de hacerse hueco en las siguientes páginas para procurarnos un placer primaveral que nos regalará energía, vitalidad y un sistema inmunitario muy reforzado.

Tortas fritas de alforfón
CON SALMÓN AHUMADO

PARA 2 PERSONAS

Para la masa

50 g de harina integral de alforfón, extra fina (de venta en herbolarios)
50 ml de leche (1,5% de M.G.)
1 huevo (tamaño M)
3 g de levadura fresca
1 pizca de azúcar
1 pizca de sal

Para la cobertura

½ manzana ácida (90 g, por ejemplo, Granny Smith)
120 g de aguacate maduro (sin hueso)
1 chorro de zumo de limón
1 ramita de eneldo fresco
2 cucharadas de *crème fraîche*
1 cucharadita de rábano picante (en conserva)
Sal
Pimienta negra recién molida
150 g de salmón ahumado, cortado muy fino
2 cucharadas de aceite vegetal para freír

Tiempo de preparación: 20 min.
Tiempo de reposo: 30 min.

Por ración: 635 kcal
proteínas = 29 g
grasas = 47 g
hidratos de carbono = 25 g

1 Poner en un recipiente la harina, la leche y el huevo. Desmenuzar dentro la levadura, espolvorear el azúcar y la sal, y remover con unas varillas hasta obtener una masa fluida y tersa. Cubrir con un paño de cocina durante 30 minutos.

2 Lavar la media manzana, partirla en cuartos, quitar el corazón y hacerla taquitos. Pelar el aguacate, cortar la carne en dados pequeños, añadir la manzana, salpicar con zumo de limón y remover con cuidado. Lavar el eneldo, sacudirlo para que se seque, arrancar las puntas y reservar algunas para la decoración; cortar el resto.

3 Remover en un recipiente la crema con el rábano, salpimentar y echar el eneldo. Añadir con cuidado a la salsa los tacos de manzana y el aguacate marinados.

4 Cortar el salmón ahumado en unos 12 trozos de tamaño adecuado para que quepan bien en la boca. Calentar el aceite en una sartén grande. Remover de nuevo la masa reposada que ya se habrá hinchado. Echar una cucharada de masa en la sartén caliente, aplastar en forma de pequeños discos redondos, freír 2 minutos a fuego bajo, dar la vuelta y dejar 1 minuto más. La masa alcanza para seis tortas de unos 7 cm de ø.

5 Sacar las tortas ya fritas y colocarlas sobre papel de cocina para eliminar el exceso de aceite. Para cada ración se utilizan tres tortas, cada una de las cuales se ha de cubrir con dos lonchas de salmón. Con la ayuda de una cucharita, bañar con la salsa de rábano, adornar con algunas puntas de eneldo y servir de inmediato.

EL CONSEJO DE LA JEFA DE COCINA **Estas tortas son un exquisito bocado si se toman a modo de aperitivo. En este caso se debe retirar de la masa la cantidad suficiente para preparar unas 12 tortitas y freírlas. El resto se puede congelar sin problemas, por ejemplo, para hacer una trenza para desayunar (véase la página 142).**

LA OPINIÓN DE LA MEDICINA **¡Lleno de calorías y grasas y sin embargo muy saludable! Según los más recientes estudios, los aceites de pescado contenidos en los peces de agua dulce y salada ejercen un efecto neuroprotector. Es decir, protegen al cerebro de los desgastes producidos por la edad. En especial el ácido docosahexaenoico (DHA), que pertenece a los ácidos grasos omega-3, protege el cerebro contra el Alzheimer y la demencia. Por ello, en el plan de comidas diarias debe haber al menos 1 g de estos ácidos grasos o bien durante la semana se debe tomar, al menos dos veces, un plato de pescado. Además del aceite de oliva, el aceite vegetal es también muy sano. Todos contienen suficientes ácidos grasos insaturados simples (AGIS) que protegen los vasos sanguíneos; además, los aceites vegetales han demostrado tener una elevada proporción de los saludables ácidos grasos omega-3.**

Quark de berros
CON HUEVO PICADO

PARA 2-3 PERSONAS

1 huevo (tamaño M)
100 g de quark desnatado
50 g de crema agria (10% de M.G.)
½ cucharadita de mostaza (medio picante)
½ bandeja de berros
Sal
Pimienta negra recién molida

Tiempo de preparación: 10 min.

Por ración: 80 kcal
proteínas = 8 g
grasas = 4 g
hidratos de carbono = 3 g

1 Introducir el huevo en agua hirviendo y dejarlo 10 minutos para que se endurezca. Sacarlo del recipiente, pasarlo por agua fría, pelarlo y cortarlo en trozos bastante pequeños. Esto es mejor hacerlo sobre un trozo de papel para hornear, pues de esa forma los trozos de huevo no se quedarán pegados a la superficie de trabajo.
2 Mezclar el quark con la crema ácida y la mostaza.
3 Cortar los berros con un cuchillo afilado o una tijera de cocina. Agregarlos a la crema, añadir sal, las dos clases de pimienta y degustar para comprobar que su sabor sea picante. Luego añadir el huevo picado. Servir con pan integral o pan de pueblo.

LA OPINIÓN DE LA MEDICINA **Los berros son una hierba medicinal y culinaria con un sabor muy particular. Contienen sustancias que aún no han sido identificadas de forma aislada, pero que según los actuales trabajos de un grupo de investigadores austríacos pueden proteger contra el cáncer de intestino.**

Queso fresco de oveja
CON AJO DE OSO

PARA 2-4 PERSONAS

100 g de queso fresco de oveja
100 g de queso fresco (doble crema)
1 cucharadita de pesto de ajo de oso (en conserva)
Sal
Pimienta negra recién molida
1 pizca de comino molido
1 pizca de cilantro molido

Tiempo de preparación: 5 min.

Por ración: 150 kcal
proteínas = 7 g
grasas = 13 g
hidratos de carbono = 1 g

1 Mezclar las dos clases de queso en un recipiente. A quien le guste el sabor intenso del queso de cabra puede renunciar a mezclarlo con el queso fresco, que se encarga de suavizar y adjudicar al primero un poco de aroma. En este caso añadir 200 g de queso fresco de oveja y remover bien en un recipiente.
2 Añadir al pesto tanto la sal como la pimienta, los cominos y el cilantro según el gusto.
3 El queso fresco ya realizado se puede servir con pan crujiente, integral, de centeno, integral negro sin corteza o pan de pueblo.

EL CONSEJO DE LA JEFA DE COCINA **El queso fresco también se puede preparar con ajo de oso fresco y no de conserva. Para eso habrá que eliminar una o dos hojas de la vara, cortarlas en tiras muy finas y remover añadiendo un poco de aceite de oliva a la mezcla.**

LA OPINIÓN DE LA MEDICINA **Los germanos y los romanos ya eran entusiastas del ajo de oso, la tradicional planta medicinal muy rica en vitamina C y en las denominadas aliínas, como el azufre y el «aceite de puerro». También el canferol pertenece a las sustancias rejuvenecedoras que están contenidas en el ajo de oso.**
El flavonoide ejerce un efecto antioxidante y previene ante los depósitos (placas) en las paredes de los vasos sanguíneos.

Bebida de soja
CON CAQUI, PLÁTANO Y SEMILLAS DE AMAPOLA AZUL

PARA 2 PERSONAS
400 ml de leche fría de soja
sin aditivos de sabor
(de venta en herbolarios)
1 plátano maduro
1 caqui (200 g)
1 naranja
Además se necesitarán
2 pinchos de brocheta

Tiempo de preparación: 8-10 min.

Por ración: 270 kcal
proteínas = 9 g
grasas = 5 g
hidratos de carbono = 44 g

1 Colocar la leche de soja en un recipiente alto.
2 Pelar el plátano y cortarlo en grandes trozos. Pelar el caqui, quitarle el corazón y cortar también en trozos grandes. Partir la naranja por la mitad, hacer zumo con una de las partes (salen unos 50 ml) y el resto córtalo en rodajas que incluyan la cáscara. Agregar el zumo de naranja con el plátano en la leche de soja.
3 Mezclar la fruta con una batidora eléctrica hasta que salga espuma. A continuación echar la bebida de soja en vasos y espolvorearla por encima con las semillas de amapola. Ensartar las rodajas de naranja en los pinchos para brochetas. Servir la bebida de soja acompañada de estas naranjas.

EL CONSEJO DE LA JEFA DE COCINA Esta bebida con alto contenido de proteínas y vitaminas es ideal para personas que tienen poco apetito por las mañanas y que, sin embargo, desean comenzar el día en forma y con mucha energía.

LA OPINIÓN DE LA MEDICINA La leche de soja es una bebida semejante a la leche y está preparada con agua y habas amarillas de soja finamente molidas, puestas en remojo y luego exprimidas. En Asia, los productos de la soja son integrantes principales de todas las comidas diarias. La leche de soja no contiene lactosa y por ello es ideal para personas que padecen intolerancia a este componente. Como la leche de soja es muy rica en proteínas vegetales, puede reemplazar en la alimentación a la de vaca. Además, casi no contiene ácidos grasos saturados que, desde el punto de vista médico, son considerados como poco saludables para los seres humanos a partir de cierta edad. Esos ácidos grasos, sobre todo los que se ocultan en las grasas de origen animal (por ejemplo, la mantequilla, los quesos duros, la nata, la manteca de cerdo, la carne y los embutidos) pueden acelerar la formación de depósitos (placas) en las paredes de los vasos sanguíneos y provocar arteriosclerosis. Por ello, la leche de soja puede ser un buen sustituto de la leche de vaca para todas las personas maduras a las que les gusta la leche. Hay que tener en cuenta, y no en último término, que la leche de soja es muy rica en isoflavonas, que son hormonas vegetales con un efecto parecido al de los estrógenos y de las que se ha comprobado que disminuyen el nivel de colesterol LDL y tienen un efecto muy favorable para las mujeres afectadas por los trastornos del climaterio.
La fruta del caqui proviene originariamente de Japón y China. El sabor de sus frutos recuerda al de las frutas cuya coloración se mueve entre el amarillo y el anaranjado, como las peras, los albaricoques y la vainilla. Es una magnífica fuente de las antioxidantes vitaminas A y C. Cada uno de sus frutos contiene la cantidad diaria que necesita un adulto para cubrir sus necesidades de estas vitales sustancias.
Además, la fruta contiene mucha glucosa que pone en marcha y anima las funciones cerebrales. No obstante, se debe tener en cuenta que los caquis son poco adecuados para los diabéticos.

Fideos de cristal
CON COL PICUDA, ZANAHORIAS Y CILANTRO

PARA 2 PERSONAS

500 g de fideos de cristal o soja (de venta en comercios asiáticos)
200 g de col picuda
1 zanahoria (100 g)
1 pepino (100 g)
El zumo de 1 ½ lima (unos 40 ml)
1 cucharada de sirope de arce (de venta en herbolarios)
1 cucharada de aceite de lino
1 cucharada de aceite vegetal
Sal
Pimienta negra recién molida
2 pizcas de copos de chili secos
½ manojo de cilantro fresco
100 g de carne de cangrejo de río

Además se necesitará
un rallador de verduras

Tiempo de preparación: 20 min.

Por ración: 240 kcal
proteínas = 11 g
grasas = 11 g
hidratos de carbono = 24 g

1 Preparar los fideos de soja según las indicaciones del paquete. Si no las hubiera, colocarlos en un recipiente, regarlos con abundante agua hirviendo, tapar y dejar reposar 10 minutos.

2 Entre tanto, quitar la penca a la col y cortarla en juliana. Cepillar a conciencia la zanahoria debajo del grifo y cortarla después en tiras largas con ayuda de un rallador de verduras. Las zanahorias jóvenes no se deben pelar. Lavar el pepino y trocearlo sin incluir la zona de las pepitas. Echar en una ensaladera la col picuda, la zanahoria y el pepino.

3 El zumo de lima, el sirope de arce, el aceite de lino y el aceite vegetal se mezclan bien en un recipiente y se les añade la sal, la pimienta y los copos de chili hasta que quede algo picante.

4 Rociar la verdura con este marinado y mezclar bien.

5 Limpiar el cilantro, sacudirlo para que se seque y apartar algunas ramitas que se usarán para decorar. El resto se corta en trozos pequeños, al igual que los tallos. Pasar por agua fría la carne de los cangrejos y secarlos con papel de cocina. Pasar los fideos por un colador, cortarlos con unas tijeras de cocina y, junto a los cangrejos, añadir a la ensalada ya marinada. Echar el cilantro fresco y salpimentar de nuevo al gusto.

6 Colocar las raciones plato a plato, o bien servirlo todo una ensaladera; decorar con las ramas de cilantro y servir templado.

EL CONSEJO DE LA JEFA DE COCINA La primavera es la época en que las verduras jóvenes y tiernas saben mejor en crudo. La ensalada de fideos de cristal se puede mantener sin problemas en la nevera y es ideal para hacer una comida rápida en casa o en la oficina.

LA OPINIÓN DE LA MEDICINA La col picuda es un pariente cercano del repollo. Su potencial antiedad se basa en una elevada proporción de fibra (3 g por cada 100 g de col). Estimula la digestión y es muy adecuada para adelgazar. También los micronutrientes contenidos en la col hacen de esta verdura un alimento que ofrece una enorme protección inmunitaria y tiene un efecto rejuvenecedor. Los responsables de ello son los ácidos fólicos (30 µg por cada 100 g, lo que corresponde a un 10% de las necesidades diarias de un adulto), el contenido de vitamina C, que se corresponde con el de una naranja (50 mg por 100 g), así como sustancias vegetales secundarias como el canferol y los glucosinolatos. Estos últimos no sólo son responsables del típico sabor de la col, sino que también tienen un efecto inhibidor de las inflamaciones.

Ensalada de espinacas
CON QUESO DE OVEJA A LA PLANCHA

PARA 2 PERSONAS

Para la ensalada de espinacas

150 g de espinacas
2 ramas de apio con sus hojas (150 g)
4 cucharadas de zumo de limón
1 cucharada de sirope de arce (de venta en herbolarios)
2 cucharadas de aceite de oliva
2 cucharadas de aceite de nuez
Sal
Pimienta negra recién molida

Para el queso de oveja

200 g de queso de oveja, por ejemplo, tipo feta
1 cucharada aceite de oliva
1 ó 2 ramas de tomillo fresco

Tiempo de preparación: 20 min.

Por ración: 480 kcal
proteínas = 21 g
grasas = 41 g
hidratos de carbono = 7 g

1 Precalentar el horno en la función de gratinado. Limpiar las espinacas, quitar los tallos más gruesos, lavar con detalle y pasarlas por un escurridor de verduras, o bien dejarlas goteando en un colador. Limpiar los tallos de apio. Separar las hojas y echarlas en agua fría. Los tallos se cortan en rebanadas delgadas.

2 Se mezcla bien en un recipiente el zumo de limón con el sirope de arce y los aceites de oliva y de nuez, y se salpimienta al gusto.

3 Cortar el queso de oveja en cuatro trozos del mismo tamaño, colocar en un recipiente adecuado para el horno y rociarlos con aceite de oliva. Meter en el horno (en la bandeja central) y dejar 7 minutos hasta que consigan un tono marrón dorado.

4 Dejar secar las hojas del apio sobre un papel de cocina y cortarlas en trozos pequeños. Mezclar la ensalada de espinacas con los tallos y las hojas del apio, y añadir el marinado; si se desea, salpimentar al gusto.

5 Limpiar el tomillo, sacudirlo para que se seque, separar las hojas y cortarlas en trozos pequeños. Sacar el queso de oveja del horno, espolvorearlo con el tomillo y la pimienta molida. Colocar en un plato sobre la ensalada y servir caliente.

EL CONSEJO DE LA JEFA DE COCINA La ensalada de espinacas se debe hacer un momento antes de servirla, pues si las espinacas son muy tiernas, en seguida se mustian con el marinado.

LA OPINIÓN DE LA MEDICINA La espinaca, como suministrador de hierro, se ha tomado siempre menos en cuenta que la carne, cuyo aporte de hierro al organismo está mucho mejor valorado. Las verduras de hoja verde son muy valiosas por su riqueza en carotenoides, su contenido en vitaminas A, B1, B2, B6, C,
E y K, así como minerales, fibra y ácido oxálico (aproximadamente 0,5 g / 100 g). Por tanto, la espinaca favorece la digestión, y fomenta la formación y la coagulación de la sangre. Las investigaciones y los estudios más recientes han demostrado que los glicolípidos contenidos en las espinacas tienen un fuerte efecto antitumoral. También hay que tener en cuenta sus propiedades antioxidantes, que pueden retrasar los procesos de envejecimiento.
En las zonas mediterráneas, la leche de oveja ocupa un lugar destacado y aporta casi el doble de grasa y de proteínas que la leche de la vaca; es rica en vitaminas y calcio y contiene menos sodio. La mayor cantidad de grasa se compone a partir de ácidos grasos (triglicéridos), que contienen ácido linoleico conjugado (CLA). Estos ácidos rejuvenecen y fortalecen el sistema inmunitario. Además, la leche de oveja contiene abundantes yoduros y selenio. Esta combinación hace que los productos de leche de oveja sean un alimento saludable para personas de edad más avanzada.

Steak tartar
CON ALCAPARRAS, ACEITUNAS Y CEBOLLA ROJA

PARA 2 PERSONAS

280 g de carne de vacuno recién picada
1 anchoa
1 cucharadita de alcaparras
8 ó 9 aceitunas negras sin hueso (20 g)
50 g de pepinillos en vinagre
1 ó 2 tallos de albahaca fresca
1 cucharadita de mostaza picante
1 cucharada de tomate kétchup
1 yema de huevo (tamaño M)
Sal marina, por ejemplo, «Flor de Sal»
Pimienta negra recién molida,
1 pizca de pimienta de Cayena
½ cebolla roja (60 g)
2 champiñones pequeños
Unas gotas de aceite oliva para salpicar sobre la carne

Además se necesitarán
un rallador de trufas o de verduras
un timbal metálico redondo (9 cm de ø)

Tiempo de preparación: 15-20 min.

Por ración: 260 kcal
proteínas = 33 g
grasas = 12 g
hidratos de carbono = 5 g

1 Colocar la carne de vacuno en un recipiente. Pasar la anchoa por agua fría, secarla con un papel de cocina y cortarla, junto a las alcaparras, en trozos muy pequeños. Cortar en rodajas las aceitunas y los pepinillos en vinagre. Limpiar la albahaca y sacudirla para que se seque. Arrancar de ocho a diez hojas de tamaño medio y cortarlas en trozos grandes. Guardar el resto para la decoración.

2 Remover con cuidado la carne con el resto de los ingredientes ya cortados, así como la mostaza, el tomate kétchup y la clara de huevo; añadir al gusto sal marina y la pimienta de ambas clases.

3 Pelar la cebolla y cortarla en láminas o anillas lo más finas posible. Lavar los champiñones y eliminar los eventuales residuos de suciedad con un papel de cocina.

4 Colocar el timbal de metal sobre un plato, rellenarlo hasta la mitad con el steak tartar y presionar hasta que quede liso. Retirar el molde y repetir la misma operación para la segunda ración. Para que tenga un aspecto bonito, dibujar con un cuchillo largo unos rombos en la superficie de la carne. Repartir por encima la cebolla, salpicar con algunas gotas de aceite de oliva y decorar con la albahaca; se puede servir, por ejemplo, con pan integral, de centeno o de pueblo. ¡Lo que nunca debe faltar es mantequilla fresca!

EL CONSEJO DE LA JEFA DE COCINA El steak tartar también se puede pasar un poco por la sartén. Para ello calentar 1 cucharada de aceite de oliva en una sartén, formar con la carne dos tortas redondas, echarlas al aceite caliente, cocinar durante 2 minutos, dar la vuelta y continuar 1 minuto más. El steak ya cocinado, caliente y de un color rosáceo, se decora tal como se ha descrito arriba. Quien no soporte bien la cebolla cruda, también puede dorarla un par de minutos en una sartén con 1 cucharada de aceite de oliva, salarla un poco y luego servir.

LA OPINIÓN DE LA MEDICINA El steak tartar está preparado a partir de carne de vacuno sin grasas ni tendones.
Su contenido de grasa asciende como mucho a un 6%, con lo que también contiene pocos de los saludables ácidos grasos saturados.
La carne magra supone una fuente importante de proteínas, ácidos nucleicos, hierro y vitaminas solubles en grasas; las personas con una edad avanzada deben tener muy en cuenta una ingesta suficiente de proteínas. Lo recomendable son de 1 a 2 g diarios de proteínas por kilogramo de peso corporal. La cuarta parte de esa cantidad debe provenir de la carne, el pescado, los productos lácteos o los alimentos vegetales. Por eso, en el menú puede haber, una o dos veces por semana, una carne magra. Los vegetarianos deben procurarse una fuente alternativa de proteínas, que pueden extraer de las verduras frescas o los productos de soja.

Sopa primaveral de hierbas
CON ESPÁRRAGOS Y SEMILLAS DE LINO

PARA 2 PERSONAS

Para la crema de espárragos

1 cucharadita de azúcar
1 cucharadita rasa de sal
1 cucharadita de mantequilla

Para la sopa

300 g de espárragos blancos
100 g de nata
1 pizca de pimienta de Cayena
1 poco de nuez moscada recién rallada
1 manojo de hierbas, por ejemplo, cebollino, perifollo, berros crecidos, eneldo, perejil y acedera (unos 80 g)
2 cucharaditas de semillas trituradas de lino

Tiempo de preparación: 30 min.

Por ración: 245 kcal
proteínas = 6 g
grasas = 20 g
hidratos de carbono = 10 g

1 Colocar en una cazuela (de 20 cm de ø) todos los ingredientes indicados para la sopa de espárragos, añadir 400 ml de agua y llevar a ebullición.

2 Mientras tanto pelar los espárragos y eliminar los finales leñosos. Cortar las puntas de los espárragos a unos 3 ó 4 cm de longitud y luego cortarlos a lo largo. Los tallos de espárragos se trocean en fragmentos de 1 cm y, junto con las puntas, se añaden al caldo hirviendo y se dejan cocer durante 12 minutos a fuego medio. Sacar las puntas de la sopa y reservarlas.

3 Sacar dos cucharadas soperas de la nata y echar en un recipiente pequeño. El resto de la nata se añade a la sopa y se deja cocer durante 1 minuto más. Batir bien la sopa con una batidora; echar la pimienta de Cayena, la nuez moscada y sal al gusto.

4 Lavar las hierbas, sacudirlas para que se sequen y cortar los tallos largos. El cebollino se pica en pequeños cilindros y se reservan. El resto de las hierbas se coloca en un recipiente alto y se le echa encima 80 ml de agua fría. Mezclar con la batidora.

5 Poco antes de servir se incorporan las hierbas. Deja cocer un instante la sopa para que quede espumosa. Servir en platos hondos o en cuencos precalentados. Distribuir encima las puntas de los espárragos, rociar con nata líquida y espolvorear el cebollino y las semillas de lino.

EL CONSEJO DE LA JEFA DE COCINA **Mezclar la sopa con el puré de hierbas justo antes de servir, ya que si está sometido durante mucho tiempo al calor perderá su bonita coloración verde.**

LA OPINIÓN DE LA MEDICINA **El médico griego Hipócrates (hacia el 460 a. J.C.) mencionó a los espárragos como plantas medicinales. Una ración de 500 g contiene 100 kcal y casi no tiene hidratos de carbono, aunque sí dispone de unos importantes 8 g de fibra. Si a eso se añade la cantidad de vitamina C y E que contienen, que se corresponde con las necesidades diarias de un adulto, así como el 50% de lo que precisamos al día de vitaminas B_1 y B_2, se deducirá que ese alimento ejerce un efecto muy beneficioso sobre el rendimiento cerebral. El corazón y el sistema circulatorio se fortalecen gracias al contenido de estas verduras ricas en magnesio, cobre, ácido fólico y vitamina E. Esos ingredientes también sirven para frenar el envejecimiento prematuro de la piel y la disminución de la agudeza visual. Además, las sales de potasio y los aceites esenciales favorecen la actividad renal. El ácido aspártico contenido en los espárragos estimula la eliminación de líquidos, activa el hígado y la vesícula biliar, y favorece el transporte al exterior del organismo de los desechos metabólicos.**

Pulpetas de pavo
CON ACELGAS Y SETAS COLMENILLA

PARA 2 PERSONAS

Para las pulpetas

Para las pulpetas
2 filetes de pavo
(aprox. de 120 g cada uno)
200 g de acelgas rojas, amarillas o blancas
Sal
1 cucharada de aceite vegetal para freír

Para las verduras

500 g de espárragos blancos
8 a 10 g de setas colmenilla frescas de tamaño medio (o bien 10 g de setas liofilizadas, que se pondrán en remojo en agua templada)
2 cucharadas de aceite vegetal
Sal de mar, por ejemplo, «Flor de Sal»
150 ml de caldo de verduras
1 chorrito de vino de Oporto blanco
100 g de nata
1 cucharada rasa de almidón para cocinar
Pimienta negra recién molida
Nuez moscada recién rallada
½ ramillete de cebollino fresco

Además se necesitarán

Pinchos de brochetas
Bolsas para congelados
Maza para carne

Tiempo de preparación: 30 min.

Por ración: 490 kcal
proteínas = 36 g
grasas = 33 g
hidratos de carbono = 9 g

1 Lavar los filetes de pavo con agua fría, secarlos con un papel de cocina y partirlos por la mitad. Cortar la bolsa de congelados a lo largo y abrirla. Colocar encima un filete, tapar con la otra parte; golpear con la maza para carne. Hacer lo mismo con el otro filete.

2 Limpiar las acelgas. Cortar pencas de unos 15 cm de largo, escaldar en agua hirviendo con sal durante 7 minutos, sacarlas, pasarlas por agua fría y luego secarlas con papel de cocina. Las hojas de acelga se cortan en cuadrados de 3 cm de tamaño. Pelar los espárragos, quitar los extremos leñosos y cortarlos en trozos de 1 cm de longitud.

3 Lavar las setas frescas, según sea su tamaño partirlas por la mitad o en cuatro trozos, y secarlas con un papel de cocina. Las colmenillas secas se remojan para hidratarlas, se escurren bien y, según su tamaño, se parten por la mitad o en cuatro trozos; secar con cuidado. Tirar el agua que se haya utilizado para hidratar.

4 Calentar el aceite vegetal en una cazuela (de 24 cm de ø), añadir los trozos de espárragos y mantener 2 minutos a fuego medio. Añadir las setas aderezadas con una pizca de sal marina y dejar al fuego durante 1 minuto. Rociar con el caldo de verduras, añadir las hojas de acelga y el vino de Oporto, dejar hervir; añadir nata y dejar cocer a fuego lento durante 5 minutos.

5 Disolver la harina de maíz con un chorrito de agua fría, añadir a la salsa hirviendo y dejar cocer 2 minutos. Echar a la verdura sal marina, pimienta y nuez moscada al gusto. Limpiar el cebollino, sacudirlo para que se seque y cortarlo en pequeños cilindros.

6 Salpimentar por ambos lados los filetes de pavo, colocar tres pencas de acelgas encima, enrollarlos y sujetar con un pincho de brocheta. Calentar una cucharada de aceite vegetal en una sartén, añadir las pulpetas de pavo y mantener durante 3 minutos hasta que la carne adquiera color. Retirar la sartén del fuego y dejar que los filetes de pavo se cocinen durante otros 3 minutos más con el calor residual.

7 Volver a llevar a ebullición la verdura y añadir el cebollino. Servir las pulpetas de pavo sobre un plato precalentado y acompañarlas, por ejemplo, con patatas cocidas con piel.

LA OPINIÓN DE LA MEDICINA **La acelga, emparentada con las espinacas, contiene abundante potasio, calcio, magnesio y vitaminas A y C, así como ácido fólico, muy importante para la formación de sangre. Además, en todas las verduras de hoja verde se esconde el aminoácido betaína. Favorece la función del hígado y la vesícula biliar a la hora de la digestión de las grasas y de esa forma descarga el metabolismo.**

Filete de cerdo CON GUISANTES TIERNOS Y ESTRAGÓN

PARA 2 PERSONAS

300 g de filete de cerdo
½ cebolla (50 g)
1 cucharadita de mantequilla
200 g de guisantes tiernos congelados
Sal
150 ml de caldo de verduras
2 cucharadas de nata
Pimienta negra recién molida
2 cucharadas de aceite de pepitas de uva
Algunas hojas de estragón
2 ó 3 ramas de perejil
1 cucharada de sésamo negro (de venta en comercios asiáticos)

Tiempo de preparación: 30 min.

Por ración: 405 kcal
proteínas = 39 g
grasas = 21 g
hidratos de carbono = 16 g

1 Lavar la carne con agua fría, secarla con papel de cocina, quitarle los posibles tendones y cortarla en seis trozos del mismo tamaño. Presionar los trozos para que queden algo más planos.

2 Pelar la cebolla y cortarla en dados pequeños. Derretir la mantequilla en una pequeña cazuela (de 18 cm de ø), y dorar la cebolla durante 3 minutos; añadir los guisantes congelados, remover un poco, aderezar con una pizca de sal y añadir el caldo de verduras. Dejar cocer la salsa de guisantes a fuego lento durante 7 minutos.

3 Una vez cocidos los guisantes, echar 3 cucharadas de ellos en un recipiente alto, añadir un poco del caldo de la cazuela, mezclar con una batidora eléctrica y volver a echar el contenido en la salsa. Rebañar el cacharro con un poco de agua y agregarla también a la salsa. Añadir la nata y dejar cocer de nuevo. Salpimentar al gusto la salsa de guisantes.

4 Salpimentar los filetes por ambos lados. Calentar aceite de pepitas de uva en una sartén, añadir los trozos de carne, asar durante 2 minutos, darles la vuelta y dejarlos 7 minutos más a fuego bajo, hasta que adquieran un tono rosado. Dar varias vueltas a la carne hasta conseguir una tonalidad marrón por ambas partes.

5 Lavar las hierbas, sacudirlas para que se sequen, reservar algunas puntas para la decoración y cortar el resto en trozos pequeños. Colocar el sésamo en un plato llano. Sacar los filetes de la sartén y rebozarlos de sésamo por ambos lados.

6 Echar la salsa de guisantes en un plato precalentado, colocar encima los filetes de cerdo y decorar con hierbas. Como acompañamiento resultan muy apropiadas unas patatas nuevas fritas en aceite de oliva.

EL CONSEJO DE LA JEFA DE COCINA **El sésamo tendrá un sabor más aromático si se colocan las semillas en una sartén, sin ningún tipo de grasa añadida, y se asan hasta que comiencen a crujir y oler.**

LA OPINIÓN DE LA MEDICINA **El aceite de pepitas de uva contiene un 70% de ácidos grasos insaturados múltiples de acción rejuvenecedora. Entre ellos se deben nombrar a los ácidos grasos omega-6. Pertenecen a ácidos grasos esenciales que el cuerpo no puede fabricar por sí mismo y que se deben adquirir con la alimentación. Los ácidos grasos omega-6 están presentes en los aceites de nueces, girasol, soja y cardo. En una alimentación equilibrada y con efecto rejuvenecedor, la proporción ideal de ácidos grasos omega-3 y omega-6 es de 5:1.**
El consumo global diario de ácidos grasos omega-6 debe estar por debajo de los 9 g.

Pollo al limón
CON ENSALADA DE HIERBAS SILVESTRES

PARA 2 PERSONAS

Para la ensalada

Aproximadamente 50 g de hierbas silvestres mezcladas (por ejemplo, ortigas, milenrama, hisopo, pamplina o hierba gallinera, menta, diente de león y borraja)
Aproximadamente 70 g de hojas de lechugas variadas
2 cucharadas de vinagre de manzana
1 cucharada de miel de acacia
2 pizcas de sal
Pimienta negra recién molida
2 cucharadas de aceite de cardo
1 cucharada de aceite de lino

Para el pollo al limón

2 pechugas de pollo con piel (200 g cada una)
½ limón
2 cucharadas de aceite de oliva para freír
Pimienta de Cayena

Tiempo de preparación: 30-35 min.

Por ración: 525 kcal
proteínas = 45 g
grasas = 35 g
hidratos de carbono = 8 g

1 Quitar los tallos más gruesos de las hierbas y trocearlas pequeñas. Lavarlas junto a las hojas de lechuga y dejarlas secar en un escurridor de verdura.
2 En un recipiente pequeño echar el vinagre de manzana y la miel de acacia, y salpimentar. Para finalizar añadir los dos tipos de aceites.
3 Limpiar con agua fría las pechugas de pollo, secarlas con papel de cocina y, en caso necesario, eliminar los tendones que pudieran quedar.
4 Pelar el limón hasta eliminar incluso la corteza blanca. Cortar algunas rodajas y hacer pequeños dados con el resto.
5 Calentar el aceite de oliva en una sartén. Salpimentar por ambos lados las pechugas y añadir un poco de pimienta de Cayena. Colocar el pollo en la sartén, primero sobre la parte de la piel, dejar 5 minutos a fuego medio, dar la vuelta y mantener otros 10 minutos a fuego bajo; dar varias veces la vuelta a las pechugas. Sacar la carne de la sartén. Introducir las rodajas de limón en la grasa que haya quedado al freír y darles la vuelta de inmediato.
6 Añadir el aliño a la ensalada y salpimentar al gusto. Servir la pechuga de pollo crujiente y fileteada y rociar con unas gotas de aceite de limón.

EL CONSEJO DE LA JEFA DE COCINA **Para obtener una variante «más adelgazante» de este plato, antes de freír se le puede quitar la piel a las pechugas. Las hierbas mezcladas se pueden comprar frescas en mercados y tiendas especializadas.**

LA OPINIÓN DE LA MEDICINA **Los aceites de cardo y de lino representan una combinación muy efectiva a causa de sus efectos rejuvenecedores, pues contienen múltiples ácidos grasos insaturados. Esto sirve, sobre todo, para la formación de las membranas celulares, los límites exteriores de nuestras células somáticas. Además, son importantes para la regulación de nuestras funciones de defensa propias del organismo. Ambos aceites se deben utilizar en especial para platos fríos y ensaladas y no deben calentarse. Por el contrario, el aceite de oliva contiene sobre todo ácidos grasos omega-9 insaturados simples, que constituyen la mayor parte de nuestra ingesta diaria en lo que se refiere a ese nutriente tan importante que son las grasas. A una edad avanzada son cada vez más necesarios esos ácidos grasos, pues nos protegen frente a la arteriosclerosis y a los trastornos del metabolismo de los lípidos.**
El vinagre de manzana posee gran cantidad de propiedades rejuvenecedoras: hace descender los niveles de grasa de la sangre, reduce los problemas de estómago, descongestiona y tiene un efecto estimulante sobre la digestión. De estos efectos se ocupa su contenido en potasio, calcio y pectinas.

Tofu al horno
CON BRÉCOL Y ARROZ DE ALGAS

PARA 2 PERSONAS

Para el arroz de algas

120 g de arroz Basmati
3 gramos de algas de mar secas y mezcladas (de venta en comercios asiáticos o herbolarios)

Para el tofu

300 g de tofu para asar (de venta en comercios asiáticos o herbolarios)
1 cucharada de salsa de soja

Para la verdura

400 g de brécol
100 g de setas ostra
1 cebolla (100 g)
1 diente pequeño de ajo
3 cucharadas de aceite vegetal o de soja
100 ml de caldo de verduras
2 cucharadas de salsa de soja
3 cucharadas de salsa de ostras (de venta en comercios asiáticos)

Además se necesitará

Papel de aluminio

Tiempo de preparación: 30-35 min.

Por ración: 565 kcal
proteínas = 25 g
grasas = 23 g
hidratos de carbono = 64 g

1 Precalentar el horno en la función de gratinado.
2 Cocinar el arroz según indiquen las instrucciones del envase. De 2 a 3 minutos antes de que esté en su punto añadir las algas cortadas, remover y dejar que se hinchen.
3 Cortar el tofu en dados de 2 cm de tamaño, echar en un recipiente, rociarlo con 1 cucharada de salsa de soja y remover. Distribuir los dados de tofu sobre la bandeja del horno cubierta con papel de aluminio, introducir en el horno (en la altura central) y hornear durante 12 minutos. Dar la vuelta al tofu con mucho cuidado para que no se quede pegado en el aluminio, cosa que ocurre con mucha facilidad, y mantener durante otros 3 minutos más en el horno.
4 Limpiar el brécol, cortarlo en discos de ½ centímetro de espesor, lavar las setas ostra y cortarlas en trozos grandes. Pelar la cebolla y el ajo, partir la cebolla por la mitad y cortarla en trozos de unos 2 cm. Cortar el ajo en finas láminas.
5 Calentar el aceite en un wok o una sartén, dorar el brécol y la cebolla durante 3 minutos sin dejar de remover, añadir las setas ostra, seguir dorando 3 minutos más y luego incorporar el caldo de verdura, dos cucharadas de salsa de soja y la salsa de ostras; rehogar todo durante 4 minutos. Para finalizar añadir las láminas de ajo.
6 Sacar el tofu del horno, colocarlo sobre las verduras y servirlo junto con arroz de algas en platos precalentados o en pequeñas bandejas.

EL CONSEJO DE LA JEFA DE COCINA **El tofu se fabrica con una pasta blanca de habas de soja que se forma a partir de la coagulación de la leche de soja. El quark resultante se presiona hasta formar bloques. Este procedimiento es muy parecido al de la obtención del queso a partir de la leche. El tofu tiene un sabor neutro y se puede aderezar de formas muy distintas. Debido a su elevado contenido en valiosas proteínas es un alimento ideal para vegetarianos como magnífico sucedáneo de la carne. Los amantes de lo picante pueden cortar ½ vaina de chili rojo y, al final, añadirla a la verdura.**

LA OPINIÓN DE LA MEDICINA **El brécol se cuenta como una de las variedades más saludables de la verdura. Es rico en proteínas (3,1 g/100 mg), vitamina C y ácido fólico, y también contiene vitaminas A, B_1, B_2, calcio y hierro. Además, en esta verdura se oculta mucha fibra. Como otras variedades de col, el brécol tiene un efecto beneficioso sobre el sistema inmunitario a causa de su alto contenido en beta-carotina. Según estudios muy recientes, los isotiocinatos, en especial el sulforáfano, contenidos en las plantas jóvenes impiden el crecimiento de las células cancerígenas.**

Dorada
CON VAINAS DE TIRABEQUE Y LENTEJAS ROJAS

PARA 2 PERSONAS

Para la ensalada

120 g de vainas de tirabeque
60 g de lentejas rojas
1 chalota pequeña (20 g)
2 cucharadas de vinagre de champán
Azúcar moreno
Sal
Pimienta negra recién molida
2 cucharadas de aceite de oliva
Algunas ramas de perifollo fresco (unos 5 g)
2 ramas de hierba pimpinela

Para la dorada

4 filetes de dorada, con piel y sin escamas (100 g cada uno)
Sal de mar, por ejemplo, «Flor de Sal»
2 cucharadas de aceite de limón (de venta en la sección de *delicatessen*), véase «El consejo de la jefa de cocina»

Para la salsa de yogur

1 pizca de semillas de hinojo
3 cucharadas de yogur natural (1,5% de M.G.)

Tiempo de preparación: 30 min.

Por ración: 505 kcal
proteínas = 49 g
grasas = 25 g
hidratos de carbono = 22 g

1 Limpiar las vainas de tirabeque, quitar los extremos y cortarlas en trasversal en delgadas tiras. Escaldar en agua salada hirviendo, sacar del agua con una espumadera. Pasarlas por agua fría y dejar que escurran en un colador. Echar las lentejas en el agua salada caliente y, según la variedad, cocinar de 8 a 9 minutos, hasta que estén blandas, escurrir y dejar secar.

2 Para el marinado pelar las chalotas y cortarlas en pequeños dados. Echar el vinagre de champán en un recipiente grande y aderezar con dos pizcas de azúcar; salpimentar. Para finalizar añadir el aceite de oliva y las chalotas. Lavar las hierbas, sacudirlas para que se sequen, reservar algunas hojas para la decoración y cortar el resto en trozos grandes.

3 Limpiar el pescado con agua fría, secar con papel de cocina; darle a la piel cuatro o cinco cortes trasversales que estén separados unos 2 cm. Aderezar los filetes con sal marina y pimienta. Calentar el aceite de limón en una sartén grande y colocar los filetes con la piel hacia abajo. Cocinar 3 minutos, dar la vuelta, retirar la sartén del fuego y dejar 1 minuto más para que se termine de hacer.

4 Para la salsa de yogur se molerán las semillas de hinojo en un mortero. Echar el yogur en un recipiente pequeño y aderezar con el hinojo y una pizca de sal. Mezclar las lentejas tibias con las vainas de tirabeque y el marinado, añadir las hierbas y salpimentar al gusto. Servir los filetes de pescado sobre platos precalentados, acompañar con la ensalada tibia de lentejas. Rociar con salsa de yogur y adornar colocando a un lado las hierbas.

EL CONSEJO DE LA JEFA DE COCINA **Si no se tiene a mano aceite de limón, también se puede utilizar aceite de oliva convencional. En este caso se pueden echar unas gotas de él sobre el pescado asado y rociarlo después con un chorrito de zumo de limón. Las lentejas y las vainas de tirabeque se deben mezclar justo antes de servir ya que, debido al ácido acético, las vainas pierden en seguida su bonita coloración verde.**

LA OPINIÓN DE LA MEDICINA **En el caso de las vainas de tirabeque, su contenido de carbohidratos, vitaminas de C y K, así como ácido fólico es mucho más elevado que en el resto de las variedades de guisantes. Además, son una fuente de proteínas, potasio, hierro, magnesio, zinc y cobre. En el caso de personas de edad avanzada son apropiadas como «alimento para el cerebro».**
El ácido fólico juega un papel importante entre los mayores, pues hace descender el nivel de homocisteína y previene la arteriosclerosis.

Brochetas de langostinos
CON CARAMBOLOS, CHILI Y ARROZ SALVAJE

PARA 2 PERSONAS

Para el arroz salvaje

100 g de arroz salvaje
Sal
1 cucharadita de mantequilla

Para el marinado

2 rodajas de jengibre fresco (6 g)
½ vaina pequeña de chili rojo
1 cebolleta pequeña (10 g)
Zumo (50 ml) y la corteza rallada de ½ naranja ecológica
Sal de mar, por ejemplo, «Flor de Sal»
1 pizca de curry en polvo
2 cucharadas de aceite de oliva

Para las brochetas

12 langostinos pelados y sin cabeza (unos 300 g)
½ carambolo maduro (fruto de la estrella, 100 g)
2 cucharadas de aceite oliva
Pimienta negra recién molida

Además se necesitarán

6 pinchos de brochetas

Tiempo de preparación: 60 min.

Por ración: 520 kcal
proteínas = 32 g
grasas = 26 g
hidratos de carbono = 40 g

1 Cocer el arroz salvaje en abundante agua hirviendo con sal de acuerdo con las indicaciones del envase. Pasar el arroz por un colador, volver a echar en la cazuela y enriquecer con mantequilla. Tapar hasta el momento de servir.

2 Entre tanto pelar el jengibre y cortarlo en trozos pequeños. Cortar también el chili. Trocear la cebolla tierna en pequeños dados. Echar todo en un recipiente y mezclar con el zumo de la naranja y la corteza rallada. Aderezar con sal marina y curry y, para finalizar, añadir el aceite de oliva.

3 Para las brochetas, lavar los langostinos con agua fría y secarlos con papel de cocina. Recortar un poco la parte superior y eliminar las posibles hebras intestinales. Cortar el carambolo en seis rodajas de 1 cm de grosor. Insertar en cada brocheta dos langostinos y una rodaja de carambolo.

4 Calentar el aceite de oliva en una sartén grande. Aderezar las brochetas con sal marina y pimienta. Colocarlas en el aceite caliente, mantenerlas a fuego lento durante 2 minutos y dar la vuelta. Retirar la sartén del fuego y dejar 1 minuto más con el calor residual.

5 Colocar el arroz con mantequilla y las brochetas de langostinos sobre platos precalentados, rociar con el marinado y servir.

EL CONSEJO DE LA JEFA DE COCINA **Puede pasar una hora hasta que el arroz salvaje esté en su punto. Este tiempo de cocción depende de la calidad del arroz, que debe agrietarse y, al final, quedar blando y jugoso.**

LA OPINIÓN DE LA MEDICINA **El carambolo ha sido despreciado muchas veces como elemento culinario y sólo se ha empleado con fines decorativos. Pero en esta fruta se esconden verdaderos poderes antiedad: su contenido en vitamina C le procura unos saludables efectos antioxidantes. La vitamina B_1 estimula la actividad cerebral y rellena los almacenes de potasio y hierro.**

El chili es una especia muy apreciada cuyo contenido en capsaicina es el responsable del picor de las vainas. La capsaicina colabora en la disminución de la grasa corporal y tiene un efecto inhibidor sobre las inflamaciones. Otras importantes sustancias que también están contenidas en el chili y que son de efectos antioxidantes son el potasio, el magnesio, el calcio, la vitamina C y los carotinoides.

Los langostinos contienen muchas valiosas proteínas y una alta concentración de ácidos grasos omega-3 que inhiben las inflamaciones y tienen un efecto diluyente sobre la sangre. Su contenido en yodo y selenio es suficiente para las necesidades diarias.

Gelatina de piña
CON MARACUYÁ, PAPAYA Y LAUREL

PARA 2 PERSONAS

200 ml de zumo de naranja recién exprimido
1 clavo
1 hoja pequeña de laurel
1 cucharadita de azúcar glas
Aproximadamente 1,5 gramos de harina integral de algarroba (de venta en herbolarios; lleva incluido un medidor)
300 g de piña (se extraen unos 200 g de carne de fruta)
200 g de papaya madura
1 maracuyá (fruta de la pasión) maduro

Tiempo de preparación: 15 min.

Por ración: 135 kcal
proteínas = 3 g
grasas = 1 g
hidratos de carbono = 28 g

1 Calentar en una cazuela pequeña (de 16 cm de ø) el zumo de naranja junto con el clavo, el laurel y el azúcar glas. Justo antes de que arranque a hervir añadir, para que espese, la harina de algarroba y cocer a fuego lento durante 1 minuto, poco más o menos, sin dejar nunca de remover. Retirar el laurel y el clavo.

2 Pelar la piña, eliminar los trozos marrones y la parte central. Partir por la mitad la papaya, quitar el hueso y pelarla. Cortar la piña y la papaya en trozos del tamaño adecuado para poder meterlos en la boca. Partir por la mitad el maracuyá y echar las pipas y el jugo en un recipiente. Añadir la piña y la papaya.

3 El zumo de naranja espesado se vierte sobre la fruta y se remueve con cuidado. La gelatina de piña se echa en vasos individuales, o bien en una fuente, y se sirve como un postre sencillo, aunque se puede acompañar con helado de vainilla.

S LA OPINIÓN DE LA MEDICINA La piña es muy rica en vitaminas. Esa fruta exótica contiene mucha vitamina A y C, así como minerales: potasio, calcio, magnesio, fósforo, hierro, cobre, manganeso, zinc, yodo y diversas carotinas. Las enzimas bromelaína o bromelina contenidas en la piña favorecen la digestión y estimulan la disociación de las proteínas en el organismo, lo que conlleva al consumo de grasas. 100 g de piña sólo suponen 55 kcal.
Por lo demás, los componentes de la piña inhiben las inflamaciones, tienen un efecto reductor de la presión sanguínea y previenen las afecciones de las paredes vasculares (arteriosclerosis), lo que hace de la piña una fruta antiedad.
La naranja que se utiliza en esta receta no es, de hecho, una fruta clásica de primavera, pero junto a la piña aporta una verdadera «inyección» de energía al sistema inmunitario y al mismo tiempo tiene un efecto vitalizante y refrescante. A eso se añade que es muy nutritiva y, comparada con otros tipos de frutas y verduras, una increíble fuente de vitamina C, a la que no se puede renunciar en edades avanzadas. La vitamina C no es sólo un antioxidante muy efectivo contra los radicales libres, sino que, en contra de lo que ocurre con otras vitaminas, se tolera muy bien incluso a dosis elevadas.
En la combinación que se describe en la receta, esta gelatina de frutas es una comida fantástica para el refuerzo de las defensas del organismo. Contiene unos 400 mg de vitamina C, es decir, casi la cantidad suficiente para cubrir las necesidades semanales de una persona adulta, 600 µg de vitamina E, que refuerza aún más los efectos de la vitamina C y 400 µg de provitamina A, que provienen sobre todo del maracuyá. Además, en este refrescante postre se ocultan más captadores de radicales (antioxidantes) que en cualquier suplemento alimentario de los que se adquieren en el comercio especializado.

Pastel de ruibarbo con fresas marinadas

PARA 2 PERSONAS

400 g de ruibarbo
1 trozo pequeño de jengibre fresco
1 cucharada de azúcar vainillado
2 cucharadas de azúcar
40 g de mantequilla
100 g de masa de hojaldre (producto ya elaborado; disponible en tiendas de congelados)

Para las fresas

150 g de fresas
1 chorro de zumo de limón
1 cucharadita de azúcar glas
Azúcar glas para espolvorear

Además se necesitará

Papel de aluminio

Tiempo de preparación: 15-20 min.
Tiempo de reposo: 30 min.

Por ración: 440 kcal
proteínas = 6 g
grasas = 22 g
hidratos de carbono = 54 g

1 Precalentar el horno a 180 °C (con circulación de aire).

2 Limpiar el ruibarbo. Cortar los extremos y eliminar las hebras más gruesas. Cortar las pencas en sentido longitudinal y luego en trozos de unos 6 cm. Pelar el jengibre y rallarlo lo más fino posible. Mezclar en un recipiente el ruibarbo con una pizca de jengibre rallado, el azúcar vainillado y el convencional.

3 Calentar la mantequilla en una cacerola pequeña. Extender la masa de hojaldre sobre un paño de cocina y pincelar con mantequilla derretida. Distribuir el ruibarbo en el tercio inferior de la masa y enrollarla con la ayuda del paño de cocina. Doblar hacia dentro los finales del hojaldre.

4 Untar la bandeja del horno con mantequilla. Colocar el pastel sobre la bandeja con «costura de cierre» hacia abajo y pincelarlo todo con abundante mantequilla líquida. Hay que dar unos leves cortes oblicuos a la superficie del pastel con un cuchillo afilado, con lo que la masa se abrirá para que el ruibarbo se caramelice un poco por la superficie. Meter en el horno precalentado (en el medio) unos 30 minutos hasta que consiga un tono marrón dorado. En el caso de que el hojaldre se oscurezca demasiado, al cabo de 20 minutos se cubrirá con papel de aluminio.

5 Entre tanto lavar las fresas y cortarlas en cuatro trozos. Añadir el zumo de limón y el azúcar glas, mezclar todo y reservar hasta la hora de servir. Sacar el pastel del horno, dejar que se enfríe, espolvorearlo con azúcar glas y acompañarlo con las fresas marinadas.

EL CONSEJO DE LA JEFA DE COCINA **A la hora de marinar las bayas, siempre hay que echar un chorrito de zumo de limón. Los ácidos fomentan el aroma natural de las frutas dulces maduradas al sol y además realzan su intenso sabor.**

LA OPINIÓN DE LA MEDICINA **Desde hace tres mil años los médicos chinos conocían las propiedades del ruibarbo como medicamento que favorece la digestión a causa de los antranoides contenidos en las pencas, que sirven como laxante. Puesto que a edades avanzadas suele haber en ocasiones problemas de aumento de peso a causa de un metabolismo lento, el consumo ocasional de ruibarbo puede contribuir a su regulación. Además, las pencas de ruibarbo contienen ácido málico, cítrico y oxálico, así como abundantes vitaminas A, B y C. Con esos ácidos se asimilan mejor las vitaminas y así desarrollan a la perfección su efecto antiedad.**

¡RECETAS SABROSAS PARA EL VERANO ...sencillas y refrescantes!

Cuando los días son calurosos, crece el apetito por cosas que sean frescas y, sobre todo, ligeras. Las comidas de verano pueden ser cualquier cosa menos aburridas: ahora, en la estación más calurosa del año, domina la abundancia de ingredientes frescos del jardín y de la huerta, con abundante contenido de saludables ingredientes ecológicos. La gran cantidad de sustancias nutritivas permite una serie de combinaciones ligeras y refinadas que sirven para refrescar el organismo y la mente.

Muesli de bayas
CON AMARANTO Y PIPAS DE GIRASOL

PARA 2 PERSONAS

50 g de amaranto (de venta en herbolarios)
200 g de bayas frescas mezcladas: grosella rojas, fresas y arándanos
300 g de yogur natural (1,5% de M.G.)
1 cucharadita de sirope de arce
1 cucharada de zumo de granada (de venta en herbolarios)
1 cucharada de zumo de arándanos rojos (de venta en herbolarios)
1 cucharada de pipas peladas de girasol

Tiempo de preparación: 35 min.

Por ración: 225 kcal
proteínas = 11 g
grasas = 7 g
hidratos de carbono = 28 g

1 Mezclar el amaranto con ½ litro de agua templada en una cacerola pequeña (de 18 cm de ø) y llevar a ebullición; dejar cocer a fuego lento durante 35 minutos. Pasar por un colador, echar agua fría encima y dejar secar bien.

2 Entre tanto limpiar las bayas, pasarlas un momento por agua fría y secarlas con papel de cocina. Quitar las grosellas de los racimos: se puede hacer, por ejemplo, pasándolas entre las púas de un tenedor. Quitar los rabos de las fresas y, según sea su tamaño, partirlas por la mitad o en cuatro trozos. Reservar algunas fresas bonitas para la decoración.

3 Mezclar el yogur con el sirope de arce, el zumo de granada y el de arándanos rojos.

4 Asar las pipas de girasol, en una sartén sin aceite, el tiempo que sea necesario hasta que comiencen a emitir un agradable olor a frutos secos (entre 2 y 3 minutos), sacarlas de la sartén y dejar enfriar en un plato.

5 Para finalizar echar los granos de amaranto cocidos en el muesli de bayas y llenar cuencos de ración o vasitos. Espolvorear algunas pipas de girasol encima del muesli, decorar con las fresas que se han apartado y servir. El muesli se puede preparar la tarde anterior y dejar en maceración durante toda la noche.

EL CONSEJO DE LA JEFA DE COCINA **Entre los arándanos existen, de acuerdo con cada variedad, grandes diferencias de sabor. En el mercado se suelen encontrar por lo general los denominados arándanos de cultivo. Los arándanos de bosque son mucho más aromáticos. Se pueden encontrar en mercados y tiendas especializadas.**

LA OPINIÓN DE LA MEDICINA **La variedad de cereal llamado amaranto es una de las plantas más antiguas consideradas como útiles para la humanidad. Por ejemplo, contiene un tercio más de fibra y zinc que el trigo integral, casi el doble de hierro y, además, una elevada concentración de magnesio y calcio. Las semillas son muy ricas en ácidos grasos insaturados múltiples, entre ellos los valiosos ácidos grasos omega-6 y omega-3. Su riqueza en lisina, un aminoácido esencial, hace que la proteína del amaranto sea muy beneficiosa. Como las diversas variedades de cereales suelen ser pobres en lisina, se las puede complementar combinándolas con amaranto. Además, las semillas no contienen gluten y por ello son muy apropiadas para los afectados por la enfermedad celíaca. El amaranto estimula la digestión, activa el metabolismo y tiene un efecto rejuvenecedor sobre el organismo. Con sus saludables semillas se pueden preparar gran variedad de platos, entre ellos sopas, mueslis, parrilladas de verduras, gratinados y platos dulces.**

Barquillos de crema ácida
CON CEREZAS Y CHOCOLATE AMARGO

PARA 2-3 PERSONAS

Para las cerezas

200 g de cerezas
100 ml de zumo de grosellas negras (de venta en herbolarios)
2 cucharadas de miel de acacia
1 rodaja fina y pelada de jengibre
½ vaina rallada de vainilla
Aproximadamente 1,5 g de harina integral de algarroba (de venta en herbolarios; se incluye medidor)
1 trozo pequeño de chocolate amargo (3 g, con un 85% de contenido de cacao)

Para los barquillos

2 huevos (tamaño M)
60 g de crema ácida (10% de M.G.)
40 g de nata
1 pizca de sal
1 pizca de canela molida
Algunas gotas de zumo de limón
20 g de azúcar
50 g de harina integral de trigo
20 g de mantequilla derretida templada
Manteca de cerdo derretida para hornear
Azúcar glas para espolvorear

Además se necesitará

Una máquina de hacer barquillos

Tiempo de preparación: 20-25 min.

Por ración: 355 kcal
proteínas = 8 g
grasas = 20 g
hidratos de carbono = 37 g

1 Lavar las cerezas, retirar los rabos, partirlas por la mitad y deshuesarlas.

2 Calentar en una cazuela (de 20 cm de ø) el zumo de grosella con 100 ml de agua fría. Añadir miel, jengibre, vainilla y harina de algarroba, y llevar a ebullición; dejar que la salsa cueza durante 3 ó 4 minutos a fuego bajo sin dejar nunca de remover. Para finalizar añadir el chocolate y dejar que se derrita. Introducir las cerezas y retirar la cazuela del fuego.

3 Separar las yemas de los huevos de las claras, y mezclarlas en un recipiente con la crema ácida, la nata, la sal, la canela y el zumo de limón. Las claras se colocan en un segundo recipiente y se montan a punto de nieve con unas varillas al tiempo que se añade poco a poco el azúcar. Introducir con cuidado la harina y la clara de huevo en la mezcla de crema ácida y, para finalizar, añadir la mantequilla templada.

4 Calentar la máquina para hacer barquillos, embadurnarla un poco con la grasa derretida y rellenar a un tercio con masa. Dorar los barquillos durante 2 minutos, sacarlos y hacer lo mismo con el resto de masa. Con esta masa se pueden hacer unos tres barquillos de unos 17 cm de ø.

5 Los barquillos se pueden espolvorear con azúcar glas y servir junto con las cerezas.

EL CONSEJO DE LA JEFA DE COCINA **Las cerezas se pueden preparar con anterioridad y guardar como conserva. Para ello, después de que se hayan añadido las cerezas, la salsa debe hervir durante un momento más y luego se echa en un tarro de cristal limpio con tapa.**

LA OPINIÓN DE LA MEDICINA **Las cerezas no sólo tienen un estupendo sabor, sino que también sirven de protección contra las marcas de la edad. Medio litro de zumo de cerezas contiene la vitamina C que necesita un adulto durante todo un día. Un cuarto de kilo de cerezas al día puede hacer descender los niveles de ácido úrico y de esa forma proteger contra trastornos metabólicos como la gota. Además, las sustancias contenidas en las cerezas prestan firmeza a la piel. Las materias vegetales secundarias, como el antociano, pueden hacer descender los niveles de azúcar en sangre y estimular la producción de insulina del páncreas. Esta fruta propia del verano contiene también componentes rejuvenecedores y fortalecientes, como la vitamina C, el ácido fólico y algunas sustancias minerales como el ácido silícico y la pectina. Las grosellas negras son, entre todas las bayas, las que tienen un contenido más elevado de vitamina C y a causa de sus componentes vegetales secundarios, como los antocianos y flavonoides, proporcionan unos efectos muy antioxidantes. La pectina de las bayas es un estimulante de la digestión.**

Kéfir de pepino CON PAN DE RABANITOS

PARA 2 PERSONAS
½ pepino de ensalada
250 g de kéfir frío
1 cucharada de yogur natural (1,5% de M.G.)
Sal marina, por ejemplo, «Flor de Sal»
Pimienta negra recién molida
1 rama de eneldo fresco
1 cucharadita de aceite de oliva

Para el pan de rabanitos
200 g de rabanitos (unas seis piezas)
2 rodajas de pan integral
Mantequilla o queso fresco para untar
Sal
½ pepino de ensalada para decorar

Además se necesitarán
2 pinchos de brocheta
un rallador de verduras o de trufas

Tiempo de preparación: 15 min.

Por ración: 265 kcal
proteínas = 7 g
grasas = 14 g
hidratos de carbono = 28 g

1 Limpiar el pepino, eliminar los extremos amargos, cortarlo con piel en trozos grandes y colocarlo en un recipiente alto. Añadir el kéfir y el yogur natural, y mezclarlos con la batidora hasta que queden espumosos. Agregar la sal marina y la pimienta al gusto.
2 Lavar el eneldo y sacudirlo para que se seque. Separar las puntas, cortarlo en trozos pequeños y añadir a la bebida.
3 Limpiar los rabanitos, cortarlos en pequeñas láminas con un rallador de verduras o de trufas. Untar el pan integral con mantequilla o queso fresco, colocar encima los rabanitos y salar un poco.
4 El pepino que se use para decorar se cortará en rodajas finas y luego se ensartará en pinchos de los de hacer brochetas. Echar la bebida de kéfir con pepino en vasos, salpicar con ½ cucharadita de aceite de oliva y colocar la brocheta de pepino en el borde del vaso o dentro de él. Servir la bebida con pan de rabanitos reciente.

EL CONSEJO DE LA JEFA DE COCINA La bebida de kéfir y pepino resulta muy adecuada para el desayuno o a modo de ligera comida entre horas. Además, también puede tomarse en lugar de un aperitivo con alcohol. En este caso, en la brocheta se puede pinchar un langostino a la plancha.

LA OPINIÓN DE LA MEDICINA El kéfir es una bebida espesa de leche ácida que se podría denominar «la bebida de los cien años». Es muy rica en vitaminas del grupo B y en minerales, como el calcio y el hierro. El kéfir estimula el metabolismo y es muy refrescante para el verano. Una parte esencial de su efecto rejuvenecedor se asocia a las bacterias probióticas que se forman en la fermentación de los productos lácteos. Ya hace cien años que Elie Metchnikoff, investigador ruso galardonado con el Premio Nobel, causó sensación con sus tesis referidas a la elevada esperanza de vida de los búlgaros gracias a su elevado consumo de yogur y kéfir. En la actualidad se ha podido comprobar de un modo científico el valor rejuvenecedor de los yogures probióticos. Por esa causa se deben consumir de forma regular los productos lácteos probióticos, que son incluso tolerados por las personas que padecen intolerancia a la lactosa.
Los rabanitos, al igual que sus parientes los rábanos largos, son muy beneficiosos desde el punto de vista de la fisiología alimentaria. Sus aceites de mostaza ejercen sobre las mucosas un efecto antibacteriano y desinfectante y destruyen las bacterias nocivas del estómago y el intestino. Además, los rábanos largos y los rabanitos ayudan a rebajar los niveles de colesterol y lípidos. Contienen componentes que contribuyen a la vitalidad como, el potasio, el hierro, el cobre, el magnesio y la vitamina C.

Suero de mantequilla de mango CON VAINILLA

PARA 2 PERSONAS
1 mango maduro (400 g)
1 vaina de vainilla
500 ml de suero de mantequilla frío
Además se necesitarán
2 pinchos de brocheta

Tiempo de preparación: 10 min.

Por ración: 145 kcal
proteínas = 7 g
grasas = 2 g
hidratos de carbono = 26 g

1 Pelar el mango y separar la carne de hueso. Cortarlo en pedazos grandes hasta disponer de unos 260 g de carne y colocarlos en un recipiente alto. Cortar en trasversal la vaina de la vainilla y rallar el centro con la parte posterior de un cuchillo. Añadir al mango tanto el suero de mantequilla como la vainilla, y mezclarlo todo bien con la batidora eléctrica hasta obtener una fina mezcla de aspecto espumoso.
2 El resto del mango se trocea en un tamaño que quepa en la boca o se ensarta en pinchos.
3 Echar el suero en vasos altos y servir con la fruta recién troceada. La brocheta decorativa se puede introducir en el vaso o apoyarla sobre el borde del mismo.

LA OPINIÓN DE LA MEDICINA **El suero de mantequilla tiene doble cantidad de lecitina que la leche entera y, además, abundante vitamina A y E junto con un bajísimo contenido de grasa. A la bacteria del ácido láctico (*Lactobacillus species*) se le han adjudicado en parte una serie de propiedades probióticas con efectos favorables para la salud de las personas y que pueden frenar los procesos de envejecimiento.**

Arroz con leche a la vainilla CON CHIPS DE COCO

PARA 2 PERSONAS
120 g de arroz (arroz redondo o bomba)
550 ml de leche (1,5% de M.G.)
1 vaina de vainilla
1 lámina delgada y pelada de jengibre
1 cáscara de limón ecológico y 1 de naranja (de 8 a 10 centímetros de longitud)
1 ó 2 cucharadas de azúcar
2 ó 3 cucharadas de chips de coco

Tiempo de preparación: 25 min.

Por ración: 430 kcal
proteínas = 11 g
grasas = 12 g
hidratos de carbono = 67 g

1 Colocar el arroz y la leche en una cazuela (de 20 cm de ø) y llevar a ebullición. Partir por la mitad la vainilla y raspar la zona central. Añadir la leche y la ralladura de vainilla, el jengibre, las cáscaras de limón y naranja y el azúcar. Tapar y dejar cocer a fuego lento durante unos 18 minutos, remover de vez en cuando.
2 Retirar el arroz del fuego y dejar reposar 5 minutos más.
3 Entre tanto tostar durante 1 minuto los chips de coco en una sartén sin grasa. El arroz con leche se puede servir caliente, templado o frío; espolvorear con los chips de coco.

VARIANTE **Si se prefieren los platos más dulces, al final se puede añadir un poco más de azúcar al arroz con leche.**

Dip de pimiento y berenjena CON TOMILLO

PARA 2-3 PERSONAS
1 pimiento rojo (200 g)
1 pimiento amarillo (200 g)
7 cucharadas de aceite de oliva
1 berenjena (260 g)
Sal marina, por ejemplo, «Flor de Sal»
1 diente de ajo
3 ramitas de tomillo fresco
Pimienta negra recién molida
1 pizca de pimienta de Cayena

Tiempo de preparación: 45-50 min.

Por ración: 245 kcal
proteínas = 2 g
grasas = 24 g
hidratos de carbono = 5 g

1 Precalentar el horno en la función de gratinado. Lavar los pimientos, partirlos por la mitad, y eliminar las pepitas y las zonas blancas del interior de las paredes. Cortar de nuevo a lo largo. Untar la bandeja del horno con una cucharada de aceite de oliva. Colocar el pimiento con la parte de la piel hacia arriba y espolvorear con una cucharada de aceite de oliva. Meter la bandeja en el horno (en la altura central) y asarlos durante 15 ó 16 minutos. La piel se pondrá de color negro y se abrirá. Además, el pimiento se cocinará a fuego lento con la función de gratinado.

2 Lavar las berenjenas, retirar el rabo y cortarlas en pequeños dados. Calentar 3 cucharadas de aceite de oliva en una sartén, añadir los dados de berenjena y aderezar con una pizca de sal marina. Apretar el diente de ajo entre las palmas de las manos, pelarlo, partirlo por la mitad y añadir a las berenjenas. Cocinar las berenjenas sin dejar de remover, mantenerlas durante 15 minutos a fuego lento hasta que estén blandas. Sacarlas de la sartén, escurrir el aceite con papel de cocina y dejar enfriar.

3 Sacar los pimientos del horno, colocarlos durante 10 ó 15 minutos sobre cuatro hojas de papel de cocina húmedo y dejar que se enfríen. Con la humedad, la piel de desprenderá con facilidad. Pelar los pimientos. Cortarlos en trozos pequeños e introducir en un recipiente alto. Añadir 2 cucharadas de aceite de oliva y mezclar con batidora. Cortar el pimiento amarillo en pequeños dados.

4 Lavar el tomillo, sacudirlo para que se seque y reservar algunas puntas para la decoración. El resto se corta en trozos pequeños. Añadir al puré de pimientos los dados de berenjena y pimiento amarillo. Aderezar con sal marina, pimienta negra y pimienta de Cayena hasta que quede algo picante y añadir un poco de tomillo. Echar el dip en cuencos de ración, decorar con el tomillo que hemos reservado y servir. Se puede acompañar con pan de chapata, picos o grisines. También va muy bien con jamón, ya sea crudo o cocido.

LA OPINIÓN DE LA MEDICINA **Ésta es una auténtica comida mediterránea: ¡pimientos rojos y amarillos, berenjenas, ajo, aceite de oliva y tomillo! Por el «Lyon Diet Heart Study», de los años noventa del siglo XX, sabemos que este tipo de alimentación tiene numerosas ventajas en cuanto a la salud y está indicado sobre todo para personas de edad avanzada. Puede retrasar la arteriosclerosis y proteger contra el riesgo de infarto cardíaco. En este plato se combinan muchos componentes nutritivos entre los que encontramos antioxidantes, como las vitaminas A, C y E, sustancias vegetales secundarias como el resveratrol y ácidos grasos insaturados simples, así como ácido oleico, de gran efecto rejuvenecedor.**

Quark de los Alpes
CON BERROS Y CEBOLLINOS

PARA 2-3 PERSONAS
100 g de crema ácida
(10% de M.G.)
100 g de quark desnatado
100 g de requesón
50 g de «Bergkässe»
(queso de montaña)
½ ramillete de cebollino fresco
6 ó 7 ramas de berros frescos
(unos 15 g)
1 pizca de pimentón dulce en polvo
1 pizca de comino molido
Sal
Pimienta negra recién molida

Tiempo de preparación: 10 min.

Por ración: 150 kcal
proteínas = 15 g
grasas = 9 g
hidratos de carbono = 3 g

1 Remover en un recipiente pequeño la nata ácida junto con el quark y el requesón.
2 Quitar la corteza del queso y cortarlo en pequeños dados. Limpiar el cebollino y los berros, sacudir para que se sequen, reservar algunas puntas y hojas para la decoración. Retirar las hojas de los berros de sus ramas y cortar en trozos grandes.
El cebollino se parte en pequeños cilindros.
3 Introducir el queso y las hierbas al quark ya removido, añadir el pimentón, el comino, la sal y la pimienta.
4 Agregar el quark en pequeños cuencos de ración, o bien en un tarro de cristal, decorar con las hierbas que hemos reservado y servir con pan integral, panecillos o galletitas crujientes.

LA OPINIÓN DE LA MEDICINA **El quark desnatado contiene abundantes proteínas (unos 13 g por cada 100 g), casi no tiene grasa y pocos hidratos de carbono (3 g de lactosa); puede emplearse para conseguir una saludable reducción de calorías si se utiliza como una comida regular. Además, el quark desnatado es una magnífica fuente de calcio y previene la osteoporosis.**

Queso fresco de rúcula
CON TOMATES SECOS Y ACEITUNAS

PARA 2-3 PERSONAS
1 ramillete de rúcula (unos 40 g)
100 g de queso fresco
(doble crema)
150 g de quark desnatado
1 cucharadita de aceite de argán
4 tomates secos y metidos
en aceite (30 g)
8 aceitunas negras con hueso
Sal
Pimienta negra recién molida
Tostas de diferentes clases de pan

Tiempo de preparación: 10 min.

Por ración: 255 kcal
proteínas = 13 g
grasas = 13 g
hidratos de carbono = 22 g

1 Lavar la rúcula, sacudirla para que se seque, separar los tallos más gruesos y cortar las hojas. Colocar en un recipiente el queso fresco, el quark, la rúcula y el aceite de argán, y remover. Cortar en trozos pequeños tanto los tomates secos como las aceitunas, añadir a la pasta de queso fresco; salpimentar.
2 Este dip veraniego se sirve con tostas de diversos panes.

EL CONSEJO DE LA JEFA DE COCINA **El aceite de argán también puede ser reemplazado por el de lino o el de nuez.**

LA OPINIÓN DE LA MEDICINA **El aceite de argán, con un ligero sabor a nuez, se obtiene de los frutos del árbol argán, oriundo de Marruecos. Está compuesto en un 80% de ácidos grasos insaturados, de los que aproximadamente el 33% es ácido linoleico y el 43% ácido oleico. Muy semejante, por tanto, al aceite vegetal. Además, es muy rico en vitamina C (630 mg/l) y fitosteroles, que protegen al aceite de la oxidación; es muy beneficioso para el sistema inmunitario, pues actúa como captador de radicales.**

Sopa de tomate
CON MOZZARELLA DE BÚFALA Y ALBAHACA

PARA 2-3 PERSONAS
1 lata de tomate para pizzas, cortado en daditos (400 g)
Sal marina, por ejemplo, «Flor de Sal»
Pimienta negra recién molida
1 pizca de pimienta de Cayena
1 pizca de azúcar
2 hojas de gelatina blanca

Para la parte superior
150 g de tomates cherry rojos y amarillos
1 mozzarella de búfala (125 g)
1 ó 2 ramitas de albahaca fresca
Aceite de oliva para rociar
Vinagre balsámico o crema de vinagre

Además se necesitará
Papel o un paño de cocina

Tiempo de preparación: 10 min.
Preparativos: 5 horas
Tiempo de enfriamiento: 12 horas

Por ración: 160 kcal
proteínas = 11 g
grasas = 10 g
hidratos de carbono = 6 g

1 Poner en un recipiente alto el tomate para pizza. Aclarar la lata con unos 100 ml de agua y añadir también el agua al recipiente anterior. Echar sal marina, pimienta negra, pimienta de Cayena y azúcar hasta que tenga un gusto picante. Colocar en un colador papel de cocina o un paño húmedo y disponerlo sobre un recipiente. Echar allí el puré de tomate y dejar que repose durante 5 horas, hasta que se haya filtrado un caldo de tomate de un tono claro.
2 La gelatina se ablanda en agua fría. El caldo de tomate (unos 260 ml) se deja cociendo en una cacerola pequeña y se añade sal, pimienta negra y pimienta de Cayena. Diluir allí la gelatina, retirar del fuego y dejar enfriar. La sopa de tomate aún líquida se sirve en platos hondos o en vasos, se cubre con papel de cocina transparente y se deja enfriar durante una noche.
3 Poco antes de servir, lavar los tomates cherry, partirlos de acuerdo con su tamaño en dos o cuatro trozos y eliminar las zonas de inserción de los tallos. Cortar la mozzarella de búfala en taquitos de un tamaño adecuado para meter en la boca. Mezclar los tomates y la mozzarella con la albahaca, y aderezar con sal marina y pimienta.
4 Colocar la ensalada de mozzarella sobre la sopa de tomate gelatinizada, rociar con aceite de oliva y vinagre balsámico o crema de vinagre, decorar con las hojas de albahaca y servir.

EL CONSEJO DE LA JEFA DE COCINA El puré de tomate sobrante se puede cocer con un poco de caldo de verduras y enriquecer con algo de aceite de oliva. Luego añadir un poco de picante y servir como salsa de tomate rápida para pasta.

LA OPINIÓN DE LA MEDICINA El tomate, junto con el escaramujo, constituye una de las fuentes naturales de licopina. El carotinoide le aporta su característica coloración roja. La licopina se considera como un antioxidante y es un gran captador de radicales. Tiene un efecto positivo contra las señales de envejecimiento y favorece al sistema inmunitario.
Algunos estudios han demostrado que la licopina rebaja el riesgo de cáncer. Los tomates rojos contienen de 4 a 6 mg de licopina por cada 100 g de peso. Los tomates en lata llegan incluso tener 10 mg por cada 100 g, pues al cocinarlos se libera más licopina que aumenta aún más, si al tomate se le agrega algo de aceite.
La proporción más alta de licopina se encuentra en el concentrado de tomate (60 mg/100 g).

Ensalada de lechuga romana
CON PARMESANO Y BROTES DE AJO

PARA 2 PERSONAS
400 g de lechuga romana
100 g de achicoria
20 g de brotes de ajo (de venta en herbolarios y mercados ecológicos)

Para el aliño
2 huevos (tamaño M)
1 anchoa
1 cucharadita de mostaza semipicante
2 cucharadas de yogur natural (1,5% de M.G.)
10 g de parmesano rallado
1 y ½ cucharadas de vinagre de vino blanco
2 cucharadas de aceite de oliva
Sal
Pimienta negra recién molida
1-2 pizcas de azúcar
Parmesano cortado en trozos pequeños para acompañar

Además se necesitará
Un rallador de verduras o trufas

Tiempo de preparación: 20 min.

Por ración: 255 kcal
proteínas = 15 g
grasas = 20 g
hidratos de carbono = 3 g

1 Lavar la lechuga romana y la achicoria, y partirlas por la mitad. Eliminar el troncho y cortarlas en trozos de unos 3 cm. Dejarlas secar en un escurridor. Si no se tiene escurridor, también se pueden colocar sobre un paño de cocina, atar los extremos y dejar secar al aire libre. A continuación echarlas en una ensaladera y mezclar con los brotes de ajo.

2 Para el aliño introducir los huevos en agua hirviendo y dejar que se endurezcan durante 5 minutos. Sacarlos, pasarlos por agua fría, partirlos y echar en un recipiente alto. Lavar la anchoa con agua fría, secarla con papel de cocina y cortarla en pedazos grandes. Añadir los trozos de anchoa, la mostaza, el yogur, parte del parmesano, el vinagre y el aceite de oliva a los huevos y remover con la batidora hasta que quede un aliño cremoso. Echar sal, pimienta y azúcar al gusto.

3 Rallar el resto del parmesano. Las virutas también se pueden hacer con un rallador normal.

4 Mezclar la ensalada con el aliño; si fuera necesario salpimentar al gusto; colocar en platos, espolvorear por encima las virutas de queso parmesano y, por ejemplo, servir acompañado de *croutons* de pan integral (véase «El consejo de la jefa de cocina»).

EL CONSEJO DE LA JEFA DE COCINA Cortar un panecillo de pan integral o dos rebanadas integrales en daditos, pasar por una sartén caliente con 2 cucharadas de aceite de oliva, dejar escurrir sobre papel de cocina y añadir a la ensalada.
Si no se pueden conseguir los brotes de ajo, también se puede utilizar ½ diente de ajo para el aliño.

LA OPINIÓN DE LA MEDICINA Existen pocos alimentos naturales que tengan tantos efectos saludables como el ajo. Este saludable tubérculo de aroma inconfundible contiene, además de agua, hidrocarburos, proteínas, fibra y minerales, así como principios activos con azufre carentes de azufre. En cuanto a su efecto rejuvenecedor, la sustancia más significativa es la alicina, un aceite esencial de propiedades antibióticas. La cocina mediterránea es muy saludable gracias al efecto del ajo. El corazón y el sistema circulatorio se benefician de una ingesta regular de ajo. Si el ajo se cuece a fuego lento, de la alicina se forma el ajoen, que tiene efecto diluyente para la sangre y previene los depósitos en los vasos sanguíneos.

Ensalada de atún a la plancha CON DOS CLASES DE JUDÍAS

PARA 2 PERSONAS
200 g de judías verdes
200 g de judías amarillas, anchas o estrechas
4 ramas de ajedrea fresca

Para el aliño
1 chalota pequeña (30 g)
2 y ½ cucharadas de vinagre de vino tinto
Sal marina, por ejemplo, «Flor de Sal»
Pimienta negra recién molida
Azúcar
2 cucharadas de aceite de pepitas de uva
2 cucharadas de aceite de oliva
½ ramillete de cebollino fresco
3 ó 4 ramitas de perejil

Para el atún
2 filetes de atún (de 150 g cada uno; calidad sushi, para comer en crudo)
1 cucharada de aceite de pepitas de uva

Además se necesitará
Una sartén para asar

Tiempo de preparación: 30 min.

Por ración: 635 kcal
proteínas = 37 g
grasas = 49 g
hidratos de carbono = 13 g

1 Limpiar las judías, eliminar los extremos y cortarlas en trozos de unos 4 cm. Echar en una cazuela con abundante agua salada hirviendo las dos clases de judías junto a 3 ramas de ajedrea fresca; según sea la variedad, dejar cocer unos 15 minutos, hasta que estén blandas. Pasar las judías por un colador, echarles agua fría y dejar que escurran bien.
2 Para el aliño pelar la chalota y cortarla en trozos pequeños. Echarla junto al vinagre en un pequeño recipiente, mover con dos pizcas de sal marina, pimienta negra y tres pizcas de azúcar. Añadir el aceite de pepitas de uva y el de oliva.
3 Lavar bien el cebollino, el perejil y el resto de la ajedrea, y sacudir para que se sequen. Cortar las hierbas en trozos grandes y el cebollino en una serie de pequeños cilindros.
4 Lavar el atún con agua fría, secarlo con un papel de cocina y salar por ambas caras. Echar 1 cucharada de aceite de pepitas de uva en una sartén caliente, introducir el atún en el aceite, cocinar durante 2 minutos, darle la vuelta y dejar 1 minuto más. Sacar el atún de la sartén y cortarlo en pedazos que se puedan meter en la boca.
5 Colocar en una bandeja las judías, las hierbas y el atún, rociar con el aliño y mezclar bien. Si fuera necesario añadir más sal y pimienta. Repartir la ensalada de atún en platos y servir.

EL CONSEJO DE LA JEFA DE COCINA **En lugar de atún fresco, también se puede utilizar salmón. A la hora de comprar los productos hay que tener en cuenta que sean de calidad sushi. Estos pescados, debido a su fantástica calidad, también se pueden consumir en crudo. En esta preparación, tanto el atún como el salmón han de quedar algo rosados por dentro.**

LA OPINIÓN DE LA MEDICINA **Las judías se cuentan como uno de los proveedores más importantes de proteínas vegetales. Las proteínas son muy significativas para la alimentación de las personas jóvenes en edad de crecimiento y recuperan de nuevo su gran significado vital para las de edades más avanzadas, pues en tales épocas el organismo está amenazado por la desintegración o la atrofia muscular que viene condicionada por la edad.**
Para mantener las células musculares, además de practicar un entrenamiento de fuerza, se han de aportar al organismo alimentos ricos en proteínas.
Las fuentes vegetales de proteínas, como las judías o los germinados de soja, se toleran mucho mejor que algunos tipos de carne y además son un buen complemento de las proteínas del pescado (véase la página 40). Por otra parte, las proteínas vegetales no tienen ácidos grasos saturados. Las judías también son ricas en hidratos de carbono, minerales como el potasio, el calcio, el fósforo, el magnesio y las rejuvenecedoras vitaminas A, C y E, así como las vitaminas del grupo B.

Trucha asalmonada
CON RÁBANOS LARGOS Y ENSALADA DE PATATAS MORADAS

PARA 2 PERSONAS

Para la ensalada de patatas

250 g de patatas para ensalada
250 g de patatas moradas
Sal
1 cucharadita de cominos
½ cebolla (50 g)
3 cucharadas de aceite de pepitas de uva
½ ramillete de perejil
100 ml de caldo de verduras
1 cucharadita de mostaza semipicante
1 pizca de azúcar
Pimienta negra recién molida

Para la trucha

100 g de rábano largo
½ ramillete de cebollinos
3 filetes de trucha asalmonada con piel (de 100 g cada uno)
Sal marina, por ejemplo, «Flor de Sal»
Algunas gotas de zumo de limón
2 cucharadas de aceite de pepitas de uva para freír
1 cucharadita de mantequilla

Tiempo de preparación: 45 min.

Por ración: 535 kcal
proteínas = 35 g
grasas = 30 g
hidratos de carbono = 33 g

1 Lavar a conciencia los dos tipos de patatas, introducirlas en abundante agua salada, espolvorear con el comino y llevar a ebullición. Tapar y mantener cociendo de 25 a 30 minutos. Colar las patatas, dejar que se enfríen algo, pelar y cortarlas en rodajas que no sean demasiado finas pues, de lo contrario, se romperían al mezclarlas.

2 Entre tanto pelar las cebollas y cortarlas en dados pequeños. Calentar en una sartén 1 cucharada de aceite de pepitas de uva, dorar la cebolla durante 3 minutos, hasta que adquiera aspecto cristalizado, y añadir las patatas.

3 Lavar el perejil, sacudir para que se seque, separar las hojas y cortarlas. Echar en un recipiente alto el caldo de verduras, el vinagre, la mostaza, el azúcar, dos pizcas de sal y la pimienta, y mezclar con batidora eléctrica. Echar la mezcla sobre las patatas calientes y dejar reposar unos 5 minutos. Si fuera necesario salpimentar de nuevo, rociar con 2 cucharadas de aceite de pepitas de uva, añadir el perejil y mezclar con cuidado.

4 Pelar el rábano y cortarlo en láminas finas. Limpiar el cebollino, sacudir para que se seque, reservar algunas puntas para la decoración y el resto cortarlo en pequeños cilindros.

5 Limpiar los filetes de pescado con agua fría, secarlos con papel de cocina y, eventualmente, quitar con pinzas las posibles espinas centrales. Echar sal marina en la parte sin piel y rociar con algunas gotas de zumo de limón. Calentar en una sartén 2 cucharadas de aceite de pepitas de uva, introducir los filetes de pescado con la parte de la piel hacia abajo, asar durante 2 minutos a fuego medio, dar la vuelta a los filetes, retirar la sartén del fuego y durante 2 minutos dejar que se hagan con el calor restante.

6 Derretir en otra sartén la mantequilla, introducir las láminas de rábano y dejarlo durante 1 minuto a fuego medio. Salar algo el rábano y espolvorearlo con cebollino. Partir uno de los filetes de pescado por la mitad. Colocar en un plato precalentado 1 y ½ filetes de pescado con el rábano y acompañar con la ensalada de patatas moradas. Espolvorear con pimienta negra recién molida, decorar con el resto del cebollino y servir de inmediato.

S LA OPINIÓN DE LA MEDICINA **La trucha contiene valiosos ácidos grasos omega-3, que son preventivos de las enfermedades condicionadas por la edad.**

Hamburguesas multicereales CON ALCACHOFAS Y PIMIENTO

PARA 2 PERSONAS

Para las hamburguesas

1 cucharada de aceite de oliva
60 g de granos semitriturados de mezcla de varios cereales, por ejemplo, trigo, centeno, mijo, cebada, avena y alforfón (de venta en herbolarios)
150 ml de caldo de verdura
100 g de calabacín amarillo
2 varas de cebolleta (40 g)
2 láminas finas de ajo
80 g de quark desnatado
1 huevo (tamaño M)
Sal
Pimienta negra recién molida

Para la verdura

1 pimiento rojo (200 g)
1 pimiento amarillo (200 g)
2 alcachofas grandes (cada uno 300 g)
5 cucharadas de aceite de oliva para freír
Sal marina, por ejemplo, «Flor de Sal»
2 ó 3 ramas de tomillo
1 rama pequeña de romero
1 diente pequeño de ajo, presionado y pelado
1 pizca de semillas de anís

Además se necesitará

Un rallador de verduras

Tiempo de preparación: 45-50 min.

Por ración: 505 kcal
proteínas = 16 g
grasas = 34 g
hidratos de carbono = 33 g

1 Calentar el aceite de oliva en una cacerola pequeña (de 18 cm de ø), añadir los granos de los cereales, y dorar durante 1 minuto a fuego medio. Añadir un chorrito de caldo de verduras, reducir el fuego y dejar cocer durante 10 minutos sin dejar de remover. Añadir poco a poco más caldo de verdura. Agregar después el puré en un recipiente y dejar enfriar.

2 Lavar el calabacín, cortar los extremos y rasparlo con el rallador de verduras. Lavar las cebolletas, quitar la raíz y cortarlas en cilindros pequeños. Partir el ajo en trozos pequeños. Añadir el calabacín, la cebolleta, el ajo y el huevo al puré de cereales frío. Salpimentar y reservar.

3 Limpiar los pimientos, pelarlos, partirlos por la mitad, quitarle las semillas, eliminar las partes blancas del interior de las paredes y cortarlos en pedazos del tamaño de un bocado. Eliminar los tallos de las alcachofas. Cortar la mitad de las hojas superiores con un cuchillo de sierra. También se eliminan las hebras y el resto de las hojas de alrededor del receptáculo floral o corazón de la alcachofa con una cuchara pequeña. Partir por la mitad la base de las alcachofas y cortar en rodajas de ½ centímetro de grosor. Lavar las hierbas, sacudirlas para que se sequen y guardar algunas puntas para la decoración.

4 En una sartén grande calentar 3 cucharadas de aceite de oliva y freír las alcachofas durante 1 minuto. Aderezar con sal marina, añadir el pimiento, las ramas de hierbas, el ajo y freír durante 6 minutos sin dejar de remover. Añadir a la verdura tanto la sal marina como la pimienta y las semillas de anís.

5 Calentar el resto del aceite en otra sartén. De la masa de cereales separar 1 cucharada para cada hamburguesa (salen unas seis piezas), echarla al aceite caliente y dejar a fuego bajo durante 8 ó 9 minutos. Dar la vuelta con sumo cuidado y cocinar durante 7 minutos más. Calentar de nuevo las alcachofas y colocarlas en un plato precalentado junto a las hamburguesas multicereales. Decorar con las hierbas que hemos reservado y servir.

LA OPINIÓN DE LA MEDICINA **El principio amargo denominado cinarina, contenido en las alcachofas, estimula el metabolismo del hígado y la vesícula biliar. Además, a esta exquisita verdura se le atribuye un efecto reductor del colesterol y purificador de la sangre con el que los vasos sanguíneos se descongestionan. En 2003, la alcachofa fue elegida como la planta medicinal del año.**

Risotto de hinojo CON CALÉNDULA

PARA 2 PERSONAS

Para el risotto

½ cebolla (40 g)
2 cucharadas de aceite de oliva
130 g de arroz especial para risotto, por ejemplo, arroz redondo carnaroli
50 ml de vino blanco seco
500 ml de caldo de verdura
1 caléndula grande
2 ó 3 ramas de perejil
1 cucharada de mantequilla fría
20 g de parmesano rallado
Sal marina, por ejemplo, «Flor de Sal»
Pimienta negra recién molida

Para el hinojo

½ hinojo con sus hojas (200 g)
1 cucharada de aceite de oliva

Tiempo de preparación: 30 min.

Por ración: 490 kcal
proteínas = 12 g
grasas = 23 g
hidratos de carbono = 55 g

1 Pelar la cebolla y cortarla en dados pequeños. Calentar el aceite de oliva en una cacerola pequeña (de 20 cm de ø). Rehogar la cebolla 1 minuto hasta que quede cristalizada. Añadir el arroz, rehogar 2 minutos más a fuego lento, añadir el vino blanco y dejar cocer. Añadir poco a poco el caldo caliente de verduras hasta que cubra el arroz. Dejar cocer el risotto durante 20 minutos a fuego lento y sin dejar de remover. Agregar muy despacio el resto de caldo.

2 Separar las hojas de la caléndula y añadir al risotto 5 minutos antes de que esté listo. Los granos de arroz deben quedar ligeramente *al dente*. Según la calidad del arroz y el calor empleado, el tiempo de cocción puede aumentar o disminuir unos minutos.

3 Limpiar el perejil, sacudirlo para que se seque y separar las hojas. Reservar algunas hojitas para la decoración y el resto cortarlas en trozos. Dividir la mantequilla en dados pequeños y volver a colocar al frío.

4 Limpiar el hinojo y retirar el tronco. Las hojas de hinojo se colocan en agua fría. Cortar el hinojo en dados de ½ centímetro de tamaño. Calentar una cucharada de aceite de oliva en una sartén grande, introducir el hinojo, aderezar con una pizca de sal marina y rehogar durante 4 minutos a fuego bajo sin dejar de remover.

5 Justo antes de servir, introducir en el risotto el hinojo, el perejil, el parmesano y los dados fríos de mantequilla y remover. Aderezar con sal marina y pimienta. Colocar el cremoso risotto en platos precalentados. Echar por encima las hojas de hinojo escurridas y las hojitas de perejil y servir de inmediato.

EL CONSEJO DE LA JEFA DE COCINA **La caléndula es el componente clave de muchos remedios de la medicina naturista y popular. Las finas hojitas tienen un sabor muy fresco y agradable, por eso se utilizan de forma predominante en la cocina.**

LA OPINIÓN DE LA MEDICINA **Los tubérculos de hinojo son ricos en vitaminas y sustancias minerales, donde cabe destacar en especial el potasio y el calcio. Así en un trozo de hinojo de unos 200 g se reúne casi la cuarta parte de las necesidades diarias de calcio de un adulto. También hay abundante vitamina A, C y E. Su gran contenido en fibra, en combinación con los aceites esenciales anetol y fenchon, hace que el hinojo sea una magnífica verdura sanadora. Puede armonizar las funciones de digestión, tiene una acción muy favorable en el metabolismo y, en consecuencia, es de un efecto muy rejuvenecedor.**

Medallón de buey
CON SETAS CANTARELA Y PUERROS

PARA 2 PERSONAS
2 trozos de carne de buey (de 200 g cada uno)
2 ó 3 ramas de tomillo
Sal marina, por ejemplo, «Flor de Sal»
Pimienta negra recién molida
1 cucharadita rasa de mostaza semipicante
1 cucharadita rasa de mostaza en grano
1 cucharada de aceite de oliva para freír

Para la verdura
300 g de setas cantarela
100 g de puerros
1 diente pequeño de ajo
1 cucharada de aceite de oliva
1 cucharada de mantequilla
4 ó 6 ramas de perejil
1 pizca de comino molido

Además se necesitará
Hilo de cocina para atar

Tiempo de preparación: 45 min.

Por ración: 405 kcal
proteínas = 46 g
grasas = 23 g
hidratos de carbono = 3 g

1 Precalentar el horno a 100 °C (con calor arriba y abajo). Lavar la carne con agua fría, secarla y eliminar los posibles nervios que queden. Colocar cada trozo por la superficie más ancha sobre una tabla de cocina, prensarla hasta que quede plana y atarla con hilo de cocinar para que mantenga su forma al asarla.

2 Limpiar el tomillo y sacudirlo para que se seque. Salpimentar la carne y extender sobre cada trozo ½ cucharadita de los dos tipos de mostaza. Calentar en una sartén pequeña aceite de oliva y cocinar la carne durante 1 minuto, dar la vuelta y continuar 2 minutos más. Los trozos de carne también se deben colocar de pie en la sartén. Después colocar la carne sobre la rejilla del horno (en la altura central) y poner debajo una bandeja donde pueda caer el goteo. Adornar encima con una o dos ramitas de tomillo y asar 40 minutos hasta que quede con un tono rosado.

3 Mientras se habrán limpiado las setas. Si se considera necesario se pasarán por agua fría para dejarlas luego en un colador. Secarlas, además, con papel de cocina pues deben quedar sin nada de humedad antes de cocinarlas. Los ejemplares más grandes se partirán por la mitad o en cuatro trozos. Limpiar el puerro, partirlo por la mitad en sentido longitudinal, lavarlo a conciencia, incluso entre las diversas capas, y cortarlo en discos de 1 cm de ancho. Pelar el ajo y cortarlo en trozos grandes.

4 Calentar el aceite y la mantequilla en una sartén grande. Echar las setas y el ajo y rehogar a fuego fuerte durante 1 minuto, al tiempo que se aderezan con una pizca de sal marina. Añadir el puerro, remover bien y dejarlo 10 minutos más a fuego lento. Remover la sartén de vez en cuando. Pasados unos 10 minutos el líquido habrá comenzado a hervir, las setas estarán rehogadas y el puerro blando.

5 Limpiar el perejil, sacudirlo para que se seque; separar las hojas y cortarlas. Aderezar la verdura con sal, pimienta, comino y añadir el perejil.

6 Sacar la carne del horno, retirar el hilo de cocinar y cortar en medallones. La verdura y los filetes se colocan en platos precalentados y se decoran con el resto del tomillo. Cada filete se adereza un poco más con sal marina y pimienta recién molida. Servir.

EL CONSEJO DE LA JEFA DE COCINA **La temperatura existente en la parte central rosada de un filete de buey debe ser de unos 58 °C. Lo mejor es medirla con un termómetro de cocina que se insertará en la pieza de carne para tener siempre a la vista la temperatura del centro durante el proceso de asado.**

Filetes de cordero asado
CON VERDURAS AL HORNO

PARA 2 PERSONAS

Para las verduras al horno

160 g de cebollas
500 g de patatas para asar
2 dientes de ajo
1 rama pequeña de romero
3 ó 4 ramas de tomillo
Sal marina, por ejemplo, «Flor de Sal»
Pimienta negra recién molida
1 pizca de copos secos de chili
5 cucharadas de aceite de oliva
150 g de tomates cherry

Para los filetes de cordero

350 g de espalda de cordero
1 diente pequeño de ajo

Además se necesitarán

Una bolsa para congelados
Una maza para carne

Tiempo de preparación: aprox. 1 hora

Por ración: 605 kcal
proteínas = 42 g
grasas = 31 g
hidratos de carbono = 39 g

1 Precalentar el horno a 170 °C (con circulación de aire).

2 Pelar las cebollas y cortarlas en rodajas de ½ centímetro de grosor. Lavar con cuidado las patatas, pelarlas y cortarlas en rodajas de 1 cm de ancho. Apretar los dientes de ajo entre las palmas de las manos, pelarlos y partirlos por la mitad. Lavar las hierbas y sacudirlas para que se sequen. Separar algunas agujas de romero y cortarlas. Separar una o dos ramitas de tomillo y reservar el resto.

3 Colocar las cebollas, las patatas y el ajo en un molde y espolvorear con las hierbas, dos pizcas de sal marina, pimienta y los copos de chili. Echar por encima tres cucharadas de aceite de oliva, mezclarlo todo y hornear durante 30 minutos. Limpiar los tomates cherry y, pasados 30 minutos, añadirlos a las patatas y asar todo durante 20 minutos más.

4 Entre tanto lavar la carne con agua fría, secarla y eliminar los posibles nervios que queden, y cortarla en trozos de unos 40 g cada uno. Abrir por los dos lados la bolsa para congelados. Colocar los trozos de cordero con la superficie ancha sobre uno de los lados de la bolsa abierta, taparlos con el otro lado y golpear con la maza de carne hasta que queden muy delgados. Repetir con todos los trozos de cordero.

5 Apretar los dientes de ajo entre las manos y pelarlos. Calentar dos cucharadas de aceite de oliva en una sartén grande, echar en ella el ajo y una rama de tomillo. Introducir entonces el cordero y aderezar con sal marina y pimienta; cocinar durante 1 minuto a fuego medio, dar la vuelta y continuar 1 minuto más. Retirar la sartén del fuego y dejar 1 minuto más con el calor restante.

6 Sacar el molde del horno y colocar su contenido, junto con la carne, sobre platos precalentados. Todo ello se adorna con el tomillo que se ha reservado. Según el gusto de cada uno, tanto a la carne como a las verduras se les puede añadir un poco más de sal marina y pimienta recién molida; servir.

S LA OPINIÓN DE LA MEDICINA **Los efectos positivos de la carne de cordero sobre el metabolismo la hacen muy saludable: contiene muchas vitaminas, minerales y proteínas. En 100 g de carne de cordero está incluida toda la vitamina B_{12} que necesita un adulto a lo largo de un día y, además, aportan 18 g de proteínas. Su composición de grasa es tan favorable para el organismo humano porque los corderos suelen ser, por regla general, animales que pastan. Su estancia y alimentación en los campos provoca que su carne contenga muchos más ácidos grasos omega-3 que la que existe en los animales estabulados.**

Granizado de sandía y tomate CON ACEITE DE OLIVA

PARA 2-4 PERSONAS

400 g de sandía madura y aromática (sin piel; de unos 300 g)
1 tomate maduro (120 g)
1 cucharada de azúcar glas
Algunas gotas de aceite de oliva de buena calidad

Tiempo de preparación: 10 min.
Tiempo de congelación: 12 horas

Por ración: 60 kcal
proteínas = 1 g
grasas = 3 g
hidratos de carbono = 9 g

1 Eliminar la corteza y las pepitas de la sandía. La carne se corta en trozos grandes y se introduce en un recipiente alto. Limpiar los tomates y retirar la zona de inserción de los tallos. Añadir los tomates y el azúcar glas a la sandía y mezclar bien con batidora.
2 La «sopa de sandía» se coloca en un recipiente plano y se deja congelar durante toda la noche. Esponjar la masa congelada con la ayuda de un tenedor o una cuchara.
3 20 minutos antes de servir se debe retirar el molde del congelador y sacar su contenido con una cuchara sopera.
4 El granizado conseguido se reparte en vasos de ración, se le agregan unas cuantas gotas de aceite de oliva y se sirve de inmediato como un postre muy original.

LA OPINIÓN DE LA MEDICINA **Debido a su alto contenido en agua, la sandía es un buen calmante de la sed veraniega y, además, tiene muy pocas calorías.**

Kiwis y naranjas CON FORMA DE POLOS

PARA 8 POLOS

Polos de kiwi
4 kiwis maduros
2 cucharadas de miel
1 cucharadita de aceite de oliva

Polos de naranja
4 naranjas (unos 300 ml de zumo)
1 ó 2 cucharadas de miel, según el dulzor de las naranjas

Además se necesitará
Moldes para hacer polos (de venta en tiendas de accesorios de cocina)

Tiempo de preparación: 5 min.
Tiempo de congelación: 1 noche

Por ración: 45 kcal
proteínas = 0 g
grasas = 1 g
hidratos de carbono = 8 g

1 Pelar los kiwis, cortarlos en trozos grandes, introducirlos con la miel en un recipiente alto y mezclar con batidora eléctrica. Añadir el aceite de oliva.
2 Partir por la mitad las naranjas, exprimirlas y añadir miel al gusto.
3 Rellenar los moldes con la mezcla de frutas y dejar en el congelador durante toda la noche.
4 Meter por un instante en agua caliente la bandeja con los moldes, sacar los polos y degustar.

EL CONSEJO DE LA JEFA DE COCINA **Estos dos tipos de helado son refrescos muy rápidos y cómodos de preparar, no tienen calorías y en los calurosos días de verano son muy apreciados por grandes y pequeños.**

Bizcocho de quark CON MELOCOTÓN Y FRAMBUESAS

PARA 2 PERSONAS

Para el bizcocho de quark

½ cucharadita de levadura
1 cucharada rasa de almidón (10 g)
1 cucharada de sémola de trigo
½ vaina de vainilla
1 huevo (tamaño M)
40 g de azúcar
30 g de mantequilla blanda
250 g de quark desnatado
1 pizca de cáscara rallada de limón ecológico
Algo de mantequilla para untar el molde

Para la cobertura

½ melocotón (100 g)
80 g de frambuesas frescas
Algo de azúcar glas para espolvorear

Además se necesitará

Un molde pequeño redondo (de 15 cm de ø)

Tiempo de preparación: 10 min.
Tiempo de cocción: 30 min.
Tiempo de reposo: 30 min.

Por ración: 460 kcal
proteínas = 21 g
grasas = 20 g
hidratos de carbono = 48 g

1 Precalentar el horno a 170 °C (con circulación de aire).

2 Mezclar bien en un recipiente la levadura, el almidón y la sémola. Cortar la vainilla a lo largo y rascar el interior con la parte trasera de un cuchillo. La vaina ya raspada se puede utilizar para preparar azúcar o sal de vainilla. La raspadura, el huevo, el azúcar y la mantequilla se echan en un segundo recipiente y se mezclan durante 3 minutos con una batidora de mano hasta que el conjunto forme espuma. Se añade el quark, la ralladura de limón
y la mezcla de almidón. Remover todo de nuevo.

3 Untar el molde con mantequilla, llenarlo con la masa de quark y alisar. Golpear varias veces el molde contra la mesa de trabajo para que desaparezcan de la masa todas las posibles burbujas de aire. Colocar el molde sobre la rejilla del horno (en la zona central) y dejar que se hornee durante unos 30 minutos. Para comprobar si está bien hecho, introducir un palillo en el centro del pastel.
Si no queda nada de masa (o muy poca) adherida al palillo, el pastel está listo.

4 Sacar el pastel del horno, dejar enfriar, desmoldar y colocar sobre un plato o una fuente.

5 Cortar el melocotón en rodajas delgadas y lavar las frambuesas. Cubrir el bizcocho con las frambuesas y las rodajas de melocotón, espolvorear con azúcar glas y servir. Este pastel «sin masa» se puede utilizar como postre o para tomar café.

EL CONSEJO DE LA JEFA DE COCINA **Este postre es muy sencillo de preparar y es ideal para dos personas. También se puede cocinar el día de antes.**

LA OPINIÓN DE LA MEDICINA **Las bayas son una maravilla de la naturaleza en cuanto a sus efectos sobre la salud y la vitalidad. Las frambuesas maduras contienen, además de principios aromáticos y refrescantes ácidos de frutas, vitaminas del grupo B y provitamina A. En esos deliciosos frutos se esconde una gran cantidad de sustancias minerales, sobre todo potasio, fósforo, calcio, hierro y magnesio.
Las frambuesas y sus hojas fueron utilizadas por los primitivos pueblos americanos como tradicional remedio curativo de diversas dolencias. También en Armenia las frambuesas se usan desde hace mucho tiempo como terapia medicinal terapéutica. En la medicina tradicional china, las bayas se utilizan como remedio antiedad, aunque sus mecanismos de actuación aún no han sido bastante investigados: puede que los antocianos y el ácido elágico jueguen un papel antioxidante.**

¡RECETAS SABROSAS PARA EL OTOÑO ...saludables y tonificantes!

Cuando ya caen las hojas, el tiempo empieza a ser más fresco y las tormentas otoñales silban alrededor del tejado de casa, nuestro cuerpo tiene mucha tarea que hacer para mantenerse sano y prevenir las infecciones. Lo más importante ahora es fortalecer el sistema inmunitario de cara a los meses fríos y húmedos que se avecinan. El otoño llena la mesa de abundantes ciruelas maduradas al sol, manzanas y peras, variedades de col ricas en vitaminas, calabazas, patatas, frutos secos y setas.

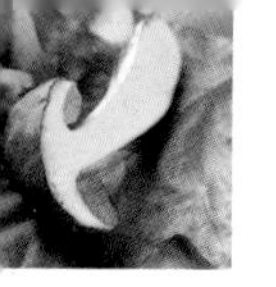

Plátanos crujientes
CON CIRUELAS Y CUAJADA

PARA 2 PERSONAS
2 cucharadas de miel de acacia
50 g de finos copos integrales de cereales: avena, trigo, centeno, cebada y espelta
2 plátanos
Algunas gotas de zumo de naranja recién exprimido
2 ciruelas rojas (de 80 g cada una)
2 ciruelas secas (20 g)
300 ml de cuajada
Además se necesitarán
Papel para hornear
Un rodillo de madera

Tiempo de preparación: 10 min.

Por ración: 395 kcal
proteínas = 10 g
grasas = 8 g
hidratos de carbono = 70 g

1 Calentar la miel en una sartén a fuego bajo. Mezclar todos los copos y, sin dejar nunca de remover, tostarlos a fuego medio durante unos 5 minutos. Esparcir los copos ya tostados sobre un trozo de papel de hornear y dejarlos enfriar. Cubrir con un segundo trozo de papel de hornear y después pasar por encima un rodillo de madera a fin de que los copos se troceen y resulten de un tamaño más pequeño.
2 Pelar los plátanos, cortarlos en pedazos de tamaño adecuado para poder meterlos en la boca y rociarlos con el zumo de naranja. Lavar las ciruelas frescas, partirlas por la mitad, retirar los huesos y cortarlas en tiras delgadas. Las ciruelas secas se cortarán también en tiras delgadas.
3 Repartir la cuajada en dos platos o cuencos individuales y espolvorear por encima parte de los copos. La fruta cortada se coloca para adornar y por encima de ella se reparte el resto de los copos; servir.

EL CONSEJO DE LA JEFA DE COCINA Los copos crujientes se pueden hacer con anterioridad y guardarlos en un tarro de cristal que cierre bien. La cuajada es una leche ácida muy cremosa con un contenido de grasa de al menos el 3,8%. Se forma gracias a un proceso de acidificación y refinación en el que se producen unos cultivos especiales de bacterias. En ese proceso, la lactosa se convierte en ácido láctico. Esto hace que se coagulen las proteínas de la leche y ésta se espese.

LA OPINIÓN DE LA MEDICINA Los plátanos son los mejores proveedores de potasio que hay entre los alimentos naturales: el potasio es un electrolito que se utiliza para la función muscular. Además, se digieren muy bien, aportan energía de un modo natural y rápido y son ideales para las personas mayores.
Las ciruelas secas aportan, por cada 100 g de ellas, unos 18 g de fibra y son una buena fuente de carbohidratos complejos que estimulan la actividad intestinal. Ayudan a regular el nivel de colesterol y a descender el de insulina. Así, en el caso de bajos niveles de azúcar en sangre, se mantiene durante más tiempo la sensación de saciedad.
Para conservar la vitalidad del metabolismo y mantener una digestión saludable, la medicina nutricional recomienda un consumo diario de 20 a 40 g de fibra. Además, la ingesta de ciruelas también fortalece tanto los nervios como el sistema inmunitario, ya que esta fruta con hueso es rica en provitamina A, en casi todas las vitaminas del grupo B y en saludables sustancias vegetales secundarias que favorecen la salud.
La piel de las ciruelas contiene antocianos, que aportan su coloración a la fruta y por su efecto antioxidante protegen el sistema inmunitario y el cardiovascular. Otros componentes, como los flavonoides, rutina y quercetina, también fortalecen las defensas y protegen de las afecciones cardiocirculatorias.

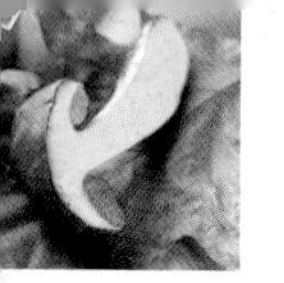

Muesli de manzana
CON ZANAHORIAS Y PASAS

PARA 2-3 PERSONAS
600 ml de leche (1,5% de M.G.)
200 g de copos integrales
de cereales mezclados: avena,
cebada, trigo
y centeno
40 g de pasas
30 g de nueces peladas
1 zanahoria (100 g)
1 manzana roja (120 g)
1 cucharada de sirope de alce
(de venta en herbolarios)
100 g de yogur natural
(3,5% de M.G.)
Además se necesitarán
Un rallador de verduras
o uno de cuatro caras

Tiempo de preparación: 10-15 min.
Tiempo de reposo: una noche

Por ración: 400 kcal
proteínas = 18 g
grasas = 14 g
hidratos de carbono = 52 g

1 Hacer que la leche hierva en una cacerola, añadir los copos y dejar cocer un instante. Agregar las pasas, remover y volcar la mezcla en un recipiente. Dejar enfriar la leche con los copos, cubrirla y dejarla toda la noche en la nevera.

2 Cortar las nueces en pedazos grandes. Lavar la zanahoria y la manzana. Pelar la zanahoria y usar el rallador de verdura para dejarla reducida a trozos pequeños. Rallar también la manzana, con la piel, hasta llegar al corazón de la misma; para hacerlo podemos utilizar el rallador de verduras o uno de cuatro caras.

3 La leche con los copos ya hinchados se mezcla con la zanahoria, la ralladura de manzana, las nueces, el sirope de arce y el yogur. Se distribuye en cuencos, platos hondos o tazas, y se sirve.

EL CONSEJO DE LA JEFA DE COCINA La leche de copos se puede preparar para consumir durante varios días. Aguanta sin problemas en la nevera durante dos o tres días. Por la mañana se puede consumir con cualquier fruta, la que más nos guste.
En lugar de manzana también se puede utilizar pera rallada.

LA OPINIÓN DE LA MEDICINA Las zanahorias y las manzanas son una combinación muy saludable: las zanahorias, con un contenido de 10 a 20 g de carotinoides por cada 100 g de peso, representan uno de los alimentos más ricos en carotina. Los sustancias contenidas en las verduras de tubérculo pueden transformarse en vitamina A (retinol). Los carotinoides, sobre todo la betacarotina, refuerzan el sistema inmunitario.
La vitamina A es importante para mantener la agudeza de la visión y tiene un efecto muy positivo sobre la salud de la piel. Además, las zanahorias contienen mucho hierro y vitamina B_6: el hierro es un componente muy importante de la sangre y la vitamina B_6 es un portador funcional esencial en el sistema nervioso y el inmunitario.
Las manzanas contienen pectina, además de una gran cantidad de sustancias rejuvenecedoras. Esa fibra, junto a los ácidos de la manzana, estimula la actividad intestinal, colabora en la digestión y favorece el enlace de grasas y colesterol en el intestino. Lo mejor es comerlas sin pelar y crudas. En la piel se esconde el 70% de las vitaminas y muchos oligoelementos, como el hierro y el magnesio. Allí también se encuentran otras sustancias vegetales secundarias, por ejemplo, la quercetina, una sustancia antiedad. A causa de su alto contenido en sustancias vegetales secundarias, como los ácidos fenólicos y los flavonoides, dispone de un gran efecto captador de radicales; debido a la pectina, el consumo regular de esta fruta puede ser preventivo de las enfermedades cardíacas. Además, las manzanas, debido a su favorable relación de contenidos de fructosa, glucosa y sacarosa (60:15:15 en las manzanas frescas), pueden ser ingeridas sin ningún problema por los diabéticos.

Suero de leche
CON PERAS, CANELA Y ZUMO DE SAÚCO

PARA 2 PERSONAS
500 g de peras aromáticas maduras de cáscara clara (se sacan unos 250 ml de zumo)
Algunas gotas de zumo de limón
½ litro de suero de leche
1 pizca de canela molida
4 cucharadas de zumo de saúco (de venta en herbolarios)
Además se necesitará
Una licuadora eléctrica

Tiempo de preparación: 5-8 min.

Por ración: 95 kcal
proteínas = 1 g
grasas = 1 g
hidratos de carbono = 23 g

1 Lavar las peras, partirlas en cuatro trozos y eliminar los corazones. Introducir los trozos en la licuadora y sacar el jugo. Remover de inmediato con unas cuantas gotas de zumo de limón para evitar que se oscurezca el zumo de la pera.
2 Mezclar el suero de la leche con la canela y el zumo de pera. Echar la mezcla en vasos y servir de inmediato.

EL CONSEJO DE LA JEFA DE COCINA Con la licuadora eléctrica se pueden hacer cómodamente zumos de frutas y verduras con un elevado contenido de vitaminas y sustancias minerales. No hay límites para la fantasía, si se trata de combinar frutas y verduras. Para exprimir son adecuadas, por ejemplo, las manzanas y las uvas, pero también se prestan a ese proceso el apio, el hinojo, la remolacha roja, las zanahorias y los colinabos. Las personas que coman poca fruta y verdura, deberán hacer un hueco fijo en su dieta diaria a esos zumos.

LA OPINIÓN DE LA MEDICINA En la Antigüedad y la Edad Media, el saúco era una importante planta medicinal. Hipócrates, Teofrasto, Dioscórides y Plinio ya conocían sus efectos y lo utilizaban como medicamento. Las hojas y frutos no maduros del saúco contienen sambunigrina, que es algo tóxica, por lo que sólo se deben consumir bayas maduras por completo que, además, son muy ricas en vitaminas (A y C) y minerales. La flor del saúco tiene un efecto sudorífico, hace descender la fiebre y disuelve las mucosidades. El zumo cocido de saúco es muy recomendable desde el punto de vista médico, en especial en otoño e invierno, porque moviliza muy bien la capacidad defensiva del organismo; además tiene un efecto rejuvenecedor.
El suero de la leche también se denomina agua de queso o lactosuero. Es un líquido residual acuoso y de color verde amarillento que se obtiene en los procesos de fabricación del queso. Está compuesto por un 24% de agua, de 4 a 5% de lactosa y no contiene grasa. Además, contiene ácido láctico, vitaminas B_1, B_2 y B_6, así como potasio, calcio, fósforo y de un 0,6 a 1% de proteínas. Favorece los procesos de digestión, descongestiona el metabolismo y es muy saludable para la prevención de la osteoporosis.
La canela no es sólo notable como especia. Los estudios más recientes han puesto de relieve que la canela puede mejorar mucho el nivel de glucosa en sangre. La unión de polifenoles (cinamaldehidos) contenidos en la canela actúa de un modo semejante al mensajero insulina y refuerza la incorporación de azúcar (glucosa) en las células. De ese modo, la canela reduce los niveles de azúcar en sangre, tiene un efecto inhibidor de las inflamaciones y baja los lípidos. Por eso, el consumo regular de canela en las cantidades recomendadas (máximo de 0,1 mg/kg de peso corporal) normaliza el metabolismo y sirve para disminuir el peligro de diabetes.

150
125

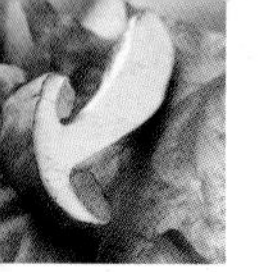

Dip de calabaza
CON CHILI Y ARÁNDANOS ROJOS

SE OBTIENEN UNOS 350 ml

500 g de calabaza, puede ser de la variedad ecológica Hokkaido (quedan unos 280 g después de limpiarla)
2 zanahorias pequeñas (160 g)
1 cebolla pequeña (50 g)
2 láminas delgadas y peladas de jengibre
2 ó 3 pizcas de copos secos de chili
Sal marina, por ejemplo, «Flor de Sal»
Pimienta negra recién molida
4 cucharadas de aceite de oliva
50 g de mezcla de frutos secos: almendras, anacardos, nueces de Brasil y avellanas con arándanos
1 cucharada de *crème fraîche*
Algunas gotas de zumo de naranja recién exprimido

Además se necesitará
Papel de aluminio

Tiempo de preparación: 15-20 min.
Tiempo de cocción: 50 min.

Por ración: 785 kcal
proteínas = 12 g
grasas = 65 g
hidratos de carbono = 40 g

1 Precalentar el horno a 180 °C (con circulación de aire).
2 Quitar las semillas de la calabaza, pelarla y cortarla en dados de 2 cm de tamaño. Lavar las zanahorias, pelarlas y cortarlas también. Pelar las cebollas y cortarlas, primero partidas por la mitad y luego en pequeños dados. La calabaza, las zanahorias, la cebolla y el jengibre se introducen en un molde. Se aderezan con dos pizcas de copos de chili, dos pizcas de sal marina y pimienta. Echar por encima tres cucharadas de aceite de oliva y remover todo un poco. Tapar el molde con papel de aluminio y colocar en el horno (en la bandeja central) durante 50 minutos.
3 Entre tanto cortar los frutos secos y los arándanos con un cuchillo.
4 Sacar el molde del horno y dejar enfriar algo la mezcla. Quitar el jengibre y echar el resto de los ingredientes en un recipiente alto, añadir una cucharada de aceite de oliva y mezclar con ayuda de la batidora eléctrica. Para finalizar se añade la *crème fraîche*, el zumo de naranja, los frutos secos troceados y los arándanos. Espolvorear, al gusto, sal marina, pimienta y chili.
5 El dip de calabaza se puede untar en pan de mantequilla o servir como una apetitosa alternativa vegetariana.

EL CONSEJO DE LA JEFA DE COCINA Para conservarlo varios días en la nevera, el dip de calabaza se puede echar en un tarro de cristal y cubrirlo con aceite de oliva. Habrá que echar la suficiente cantidad de aceite para que la superficie quede sumergida por completo en él.

LA OPINIÓN DE LA MEDICINA Esta clásica verdura de otoño, de color anaranjado, debido a su elevado contenido en antioxidantes (además de vitaminas A, C y E), tiene un efecto de refuerzo para el sistema inmunitario. 100 g de pipas de calabaza contienen 30 mg de vitamina E. Sólo las semillas de lino sin pelar tienen mayor cantidad de esta vitamina antiedad. Las pipas de calabaza se emplean en medicina natural como remedio para las afecciones de la vejiga y la próstata. En su forma concentrada contienen las mismas sustancias que la carne de la fruta fresca: además de vitamina E, también ocultan beta-carotina y una hormona vegetal denominada fitosterina. Esos componentes tienen un efecto diurético, son antiespasmódicos y fortalecen la musculatura de la vejiga. Una dieta basada en carne de calabaza es mucho más inofensiva para la salud que cualquier otro tipo de regulación de la comida que ingerimos. Por último, este fruto contiene abundantes vitaminas y sustancias minerales y, debido a su elevado contenido de agua, casi no tiene calorías: el valor alimentario de 100 g de su carne apenas llega a las 6 kcal. Un consumo regular de calabaza es muy recomendable en caso de dolencias gastrointestinales, así como en afecciones cardíacas y renales. Su efecto curativo está basado en su elevado contenido en potasio y magnesio, que favorecen la remineralización del organismo.

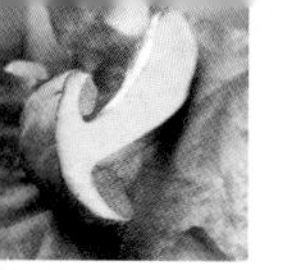

Boletus asados
CON PARMESANO Y ACEITE DE PEREJIL

PARA 2 PERSONAS
400 g de boletus
1 diente pequeño de ajo
½ ramillete de perejil
7 cucharadas de aceite de oliva
30 g de parmesano
Sal marina, por ejemplo, «Flor de Sal»
Pimienta negra recién molida
Además se necesitará
Un rallador de trufas o uno de verduras

Tiempo de preparación: 15-20 min.

Por ración: 405 kcal
proteínas = 10 g
grasas = 39 g
hidratos de carbono = 2 g

1 Limpiar los boletus y, en caso de que fuera necesario, frotarlos con cuidado con un paño húmedo. Utilizar un cuchillo pequeño o un cepillo para retirar la arena y los restos de suciedad de los rabos de las setas. Cortarlos en láminas.

2 Pelar el ajo y córtalo en trozos pequeños. Lavar el perejil, sacudirlo para que se seque y separar las hojas. Reservar algunas para la decoración. El resto del perejil se corta e introduce en un recipiente alto con cuatro cucharadas de aceite de oliva. Mezclar con la batidora eléctrica hasta que quede bien ligado.

3 Rallar en lascas pequeñas el parmesano; utilizar un rallador de verduras o uno de trufas.

4 El resto del aceite de oliva se calienta en una sartén grande. Introducir los boletus en el aceite caliente, aderezar con una pizca de sal marina y rehogar a fuego medio durante unos 3 minutos. Después añadir el ajo cortado en trozos pequeños, rehogar durante 1 minuto más y aderezar con abundante pimienta.

5 Colocar los boletus en un plato precalentado. Espolvorear con el aceite de perejil y las lascas de parmesano. Decorar con el resto de hojas de perejil y servir. Este plato es un estupendo entrante, además de un magnífico aperitivo, que se puede comer solo o acompañado de pan blanco.

EL CONSEJO DE LA JEFA DE COCINA Lo mejor es mantener los boletus en la nevera dentro de un paño de cocina o en una bolsa de papel.

LA OPINIÓN DE LA MEDICINA Debido a su exquisito sabor a frutos secos, los boletus se han convertido en los reyes de las setas. Contienen casi un 90% de agua, unos 4 g de proteínas y muy poca grasa. Después de las trufas, los boletus son los segundos en aportar la mayor cantidad de calorías de todas las setas; esa circunstancia se debe a su elevado contenido en proteínas. Para los vegetarianos, los platos hechos a partir de boletus son unos importantes suministradores de proteínas vegetales. Su contenido en fibra también es muy elevado: 6 g por cada 100 g de setas. Debido a su bajo contenido en glucosa y mannita, también son apropiados para el consumo por parte de diabéticos. Es digno de mención el contenido de ergosterina, un estadio anterior de la vitamina D. Esta vitamina es, junto con el calcio, un requisito previo indispensable para la estabilidad de la estructura ósea, es decir, previene el peligro de osteoporosis condicionada por la edad. El perejil, debido a su elevado contenido en vitamina C, tiene efectos estimulantes. Esta hierba encierra además aceites esenciales (apiol y miristicina), apigenina y vitamina A, así como calcio, potasio y hierro. Ingerido en grandes cantidades tiene efecto diurético y estimula la digestión.
La apigenina es un antioxidante con propiedades rejuvenecedoras.

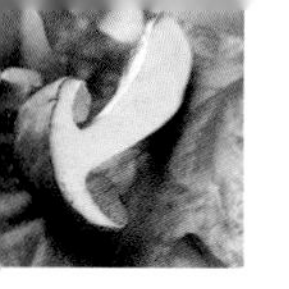

Cazuela de guisantes
CON CALABAZA Y MEJORANA FRESCA

PARA 2 PERSONAS

500 g de calabaza (salen unos 380 g de carne limpia)
100 g de cebolla
1 cucharadita de mantequilla
150 g de guisantes verdes secos
800 ml de caldo de verdura
1 loncha de tocino ahumado en una pieza (80 g)
2 ramas de mejorana fresca
Sal
Pimienta negra recién molida
Como opción, vinagre balsámico (véase la Variante)

Tiempo de preparación: 15 min.
Tiempo de cocción: 1 h. 10 min.

Por ración: 555 kcal
proteínas = 25 g
grasas = 31 g
hidratos de carbono = 44 g

1 Pelar bastante la gruesa cáscara de la calabaza. Quitar las semillas y cortarla en dados de 1 cm de grosor.

2 Pelar la cebolla y cortarla en dados pequeños. Calentar la mantequilla en una cacerola (de 24 cm de diámetro), añadir la cebolla y rehogar durante 2 minutos hasta que tenga aspecto cristalizado. Echar los guisantes a la cazuela, rehogar un instante, añadir la mitad del caldo de verduras y dejar cocer. Cortar el tocino por la mitad e introducir los dos trozos en la cazuela, tapar y dejar cocer durante 50 minutos. Remover de vez en cuando y añadir poco a poco el resto del caldo. Para finalizar introducir en la cazuela los dados de calabaza y dejar cocer sin tapar durante 15 minutos más a fuego bajo.

3 Limpiar la mejorana, sacudirla para que se seque, separar las hojas y cortarlas. Aderezar al gusto la cazuela de guisantes con sal y abundante pimienta negra, añadir la mejorana. Servir el guiso con el tocino en platos hondos precalentados o en una bandeja y servir.

VARIANTE **Antes de servirlo, este plato se puede aderezar con un par de gotas de vinagre balsámico. Su sabor ácido armoniza muy bien con el aroma de esta cazuela de guisantes.**

EL CONSEJO DE LA JEFA DE COCINA **Los guisantes no se deben poner en remojo en agua. Si se cocina el tocino durante el tiempo que se menciona en la receta, quedará blando como la mantequilla. Quien no quiera comer carne, también puede hacer el plato con un trozo de corteza de tocino y retirarlo antes de servir.**

LA OPINIÓN DE LA MEDICINA Los guisantes pertenecen al grupo más antiguo de las plantas consideradas como útiles y poseen, en comparación con el resto las legumbres, un elevado contenido en proteínas. Los guisantes se ofertan en tres variedades: guisantes de grano rugoso, que resultan algo harinosos, las arvejas son algo dulces y los guisantes mollares o azucarados (tirabeques), que se pueden consumir junto con su vaina. Los guisantes maduros y secos poseen un contenido más elevado de proteínas (23%) y carbohidratos (41%) que las semillas verdes (7% de proteínas y 12% de hidratos de carbono). Además, los guisantes poseen mucha vitamina B_1, fibra desintoxicante, hierro, zinc, potasio y magnesio. Por otra parte, los guisantes suponen un magnífico alimento para el cerebro: favorecen la capacidad de concentración, pues lo primero que necesitan las células nerviosas es glucosa y vitamina B. Los guisantes pertenecen a los alimentos vegetales con mayores contenidos de sustancias nutritivas y, por ese motivo, son importantes aportadores de materias vitales para las personas de edades más avanzadas.

Ensalada de ave
CON COL CHINA Y UVAS

PARA 2 PERSONAS
2 muslos de pollo con hueso (de 280 g cada uno)
Sal
Pimienta negra recién molida
2 cucharadas de aceite vegetal
1 manojo de hierbas para sopa: puerro, perejil, zanahorias y apio
1 tomate
1 diente de ajo pequeño
5 bayas de enebro
½ cucharadita de granos de pimienta negra
5 granos de pimentón
1 hoja de laurel
Para la ensalada
40 g de nueces peladas
300 g de col china
100 g de uvas negras
1 naranja
2 cucharadas de *crème fraîche*
2 cucharadas de yogur natural (1,5% de M.G.)
Algunas gotas de zumo de limón
2 pizcas de azúcar

Tiempo de preparación: 25-30 min.
Tiempo de cocción: 1 h. 20 min.

Por ración: 555 kcal
proteínas = 58 g
grasas = 27 g
hidratos de carbono = 20 g

1 Limpiar los muslos de pollo bajo el agua fría, secarlos con un papel de cocina y aderezarlos con sal y pimienta. Calentar el aceite vegetal en una sartén, introducir los muslos de pollo y cocinarlos por los dos lados durante un total de 3 minutos hasta que tomen un poco de color.
2 En una cacerola alta (de 20 cm de diámetro) echar 1 y ½ litros de agua fría, introducir los muslos de pollo y llevar a ebullición. Mientras tanto limpiar las verduras para la sopa: los puerros y el perejil se echarán enteros, las zanahorias y el apio se pelarán y cortarán en trozos grandes. Partir los tomates por la mitad. Apretar el ajo entre las palmas de las manos y pelarlo. Una vez que haya empezado a hervir el caldo con el pollo, bajar el fuego y dejar cocer durante 30 minutos. Eliminar toda la espuma que aparezca. Echar en el caldo toda la verdura, los tomates, el ajo, las especias y el laurel y dejar hervir 45 minutos más.
3 Mientras partir las nueces en trozos grandes. Eliminar el tronco central de la col china y cortarla en juliana. Limpiar las uvas, partirlas por la mitad y, si fuera necesario, quitar las semillas. Pelar la naranja con un cuchillo afilado para que también se elimine la piel blanca de debajo de la corteza. Sacar los gajos uno a uno y eliminar las pieles intermedias. Recoger el zumo (unos 30 ml) y reservarlo.
4 Mezclar la crema, el yogur, el zumo de naranja y unas cuantas gotas de zumo de limón. Aderezar con sal, pimienta y dos pizcas de azúcar.
5 Sacar los muslos de pollo del caldo caliente y dejar que se enfríen. Retirar la piel, despegar la carne de los huesos y cortarla en trozos de un tamaño adecuado para meter en la boca. La col china y los gajos pelados de naranja se mezclan con el aliño y, si se estima necesario, se añade más sal y pimienta al gusto. Para finalizar se incorpora el pollo ya troceado. La ensalada se coloca en platos o en una bandeja, se echan por encima las uvas y las nueces, y ya se puede servir.

LA OPINIÓN DE LA MEDICINA Desde hace ya cientos de años se sabe que las nueces son un valioso alimento y un remedio curativo para personas afectadas por gota o dolencias renales. Su contenido de proteínas, un 15%, sólo es comparable al de la carne. Se trata además de una proteína muy aprovechable por el organismo. También contienen vitamina B, que fortalece los nervios y la mente y ayuda a que la piel y el pelo mantengan su juventud. El contenido de melatonina de las nueces sirve de especial alivio para las dolencias condicionadas por la edad, ya que es un importante antioxidante.

Hamburguesa de tofu y ternera
CON TOMATES SECOS

PARA 6 HAMBURGUESAS (2-3 PERSONAS)

150 g de tofu para asar (de venta en herbolarios o en comercios asiáticos)
1 rama de cebolleta (20 g)
4 tomates secos en aceite (30 g)
1 diente pequeño de ajo
1 ó 2 hojas pequeñas, limpias y secas de salvia
150 g de carne picada de ternera
1 huevo (tamaño M)
Una pizca de cáscara rallada de limón ecológico
1 cdta. de mostaza semipicante
Sal marina, por ejemplo, «Flor de Sal»
Pimienta negra recién molida
1 ó 2 pizcas de copos secos de chili
2 ó 3 cucharadas de aceite de oliva para freír

Para la verdura
2 tomates (de 100 g cada uno)
1 calabacín (220 g)
2 ramas de tomillo
2 cucharadas de aceite de oliva
1 diente pequeño de ajo

Para la salsa rápida
1 cucharada de yogur natural 1,5% de M.G.)
1 cucharada de *crème fraîche*
1 rama de albahaca
1 ó 2 ramas de perejil

Además se necesitará
Un prensapatatas

Tiempo de preparación: 40 min.

Por ración: 180 kcal
proteínas = 10 g
grasas = 13 g
hidratos de carbono = 4 g

1 Sacar el tofu de la salmuera, limpiar con agua fría, secar con un paño de cocina y apretar en un recipiente con ayuda del prensapatatas.
2 Limpiar la cebolleta, partirla por la mitad longitudinalmente y luego cortarla en trozos pequeños. Los tomates secos se cortan en pequeños dados. Pelar el ajo y cortarlo en trozos pequeños. Cortar también las hojas de salvia. Remover el tofu junto con la cebolleta, los tomates, el ajo, la salvia, la carne picada, el huevo, la ralladura de limón y la mostaza; aderezar con la sal marina, la pimienta y los copos de chili.
3 Limpiar los tomates y el calabacín. Cortarlos en rodajas gruesas. Partir el calabacín por la mitad longitudinalmente y luego en discos de ½ centímetro de grosor. Lavar el tomillo y sacudirlo para que se seque.
4 Mezclar en un recipiente el yogur con la crema. Lavar las hierbas, sacudirlas para que se sequen y separar las hojas. Reservar algunas hojas de albahaca para la decoración y cortar el resto. Las hojas cortadas se mezclan con la salsa, que se adereza con sal marina y pimienta.
5 A partir de la masa de carne de ternera se da forma, con las manos húmedas, a seis hamburguesas redondas del mismo tamaño. Calentar en una sartén de dos a tres cucharadas de aceite de oliva, introducir las hamburguesas, cocinar durante
2 minutos a fuego lento, dar la vuelta y continuar 3 minutos más. Habrá que colocarlas de tal forma que también se hagan por los bordes. Retirar la sartén del fuego y dejar allí las hamburguesas hasta que se vayan a servir.
6 En una segunda sartén calentar dos cucharadas de aceite de oliva, introducir el calabacín, el tomillo y el diente de ajo. Aderezarlo todo con algo de sal marina, calentar durante
5 minutos hasta que adquiera una tonalidad marrón y añadir la pimienta. Sacar el calabacín de la sartén, pasar el tomate por ella durante un instante y salpimentar. Para servir, colocar por capas alternas las hamburguesas y, encima, el calabacín y el tomate, salsear y decorar con la albahaca.

S **LA OPINIÓN DE LA MEDICINA** El tofu es un quark de soja que, al contrario que la carne, no aporta colesterol ni ningún tipo de ácido graso saturado. En cambio, es rico en carbohidratos, fibra, minerales, magnesio y potasio, así como hierro y numerosas vitaminas. Al combinarlo con ingredientes mediterráneos, en el plato aparecen numerosas y valiosas sustancias que, entre otras cosas, ejercen un efecto rejuvenecedor sobre el sistema cardiovascular.

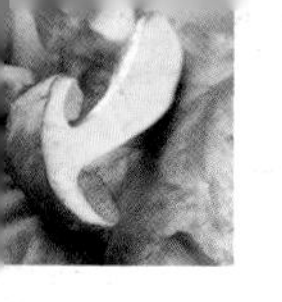

Escalope de cerdo empanado CON CIRUELAS

PARA 2 PERSONAS

150 g de ciruelas damascenas
2 filetes de cerdo (de 130 g cada uno)
80 g de queso Gouda cortado en lascas finas
1 huevo (tamaño M)
40 g de cereales de desayuno
Sal
Pimienta negra recién molida
Algo de harina para espolvorear (tipo 45, especial para bollería)
2 ó 3 cucharadas de aceite de oliva para freír
1 cucharadita de mantequilla
2 cucharaditas de vinagre balsámico

Además se necesitarán
Bolsas de congelación
Una maza de carne

Tiempo de preparación: 20-25 min.

Por ración: 570 kcal
proteínas = 42 g
grasas = 33 g
hidratos de carbono = 26 g

1 Lavar las ciruelas, partirlas por la mitad, quitarles el hueso y cortarlas en rebanadas delgadas. Reservarlas.

2 Limpiar los filetes de cerdo con agua fría y secarlos con papel de cocina. Abrir por su parte longitudinal los dos lados de la bolsa de congelar, colocar un filete dentro, taparlo con el otro lado de la bolsa y golpear con la maza de carne hasta dejarlo lo más fino posible. Hacer lo mismo con el segundo filete. Quitar la corteza al queso, colocarlo sobre los filetes y doblarlos después para que el queso quede en el centro.

3 Batir un huevo en un plato hondo. Poner los cereales en un segundo plato. Los filetes rellenos de queso se aderezan con sal y pimienta, se espolvorean con un poco de harina, se bañan por ambas partes en el huevo y después se rebozan con los cereales.

4 Calentar el aceite de oliva en una sartén. Introducir allí los filetes, cocinarlos durante 3 minutos a fuego medio y darles la vuelta. Bajar algo el fuego y dejar durante unos 4 minutos más hasta que adquieran un tono marrón dorado. Sacarlos de la sartén y quitar el exceso de aceite con papel de cocina.

5 Mientras se hacen los filetes, se derretirá la mantequilla en una cacerola pequeña (de 18 cm de diámetro). En esta mantequilla se saltean las ciruelas durante 2 minutos, se salan un poco y para finalizar se les añade el vinagre. Los filetes rellenos se colocan en platos precalentados, se añaden las ciruelas a modo de guarnición, se salsea y se sirve.

LA OPINIÓN DE LA MEDICINA La carne magra aporta proteínas muy útiles para todos los procesos de estructuración del organismo. Los modernos métodos de crianza del cerdo permiten afirmar que en la actualidad es un alimento libre de grasas. Un filete magro contiene unos 2 g de grasa por cada 100 de carne, además de 20 g de proteínas. Esta proteína de la carne aporta aminoácidos necesarios para la vida en una forma muy asimilable. Las ventajas de una alimentación rica en proteínas y pobre en grasas están al alcance de cualquiera: estimula la insulina y en consecuencia rebaja el peligro de enfermar de un estadio anterior a la diabetes (síndrome metabólico). También aporta vitamina B1, que cumple notables funciones en el metabolismo energético y de los carbohidratos y es de gran importancia para la capacidad de rendimiento tanto físico como mental. Además, la carne de cerdo contiene cantidades aceptables de hierro y selenio. Estos oligoelementos son importantes para la glándula tiroides y, como antioxidantes, protegen frente a los radicales libres.

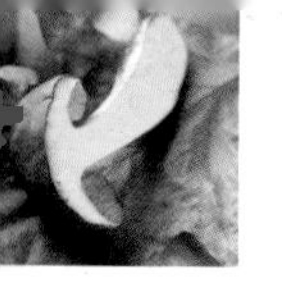

Atadillos de col rizada
CON CEREALES A LA BOLOÑESA Y TOMILLO

PARA 2 PERSONAS

80 g de cereales mezclados (granos enteros de trigo, centeno, cebada, mijo, espelta y avena)
1 diente pequeño de ajo
1 cebolla pequeña (50 g)
2 ramas de tomillo
1 cucharada de aceite de oliva
1 cucharadita de tomate concentrado
200 g de tomate para pizza (de lata), cortado en trozos
100 ml de caldo de verduras
Sal
300 g de col rizada (8 hojas grandes, de 25 a 35 g cada una)
4 lonchas de jamón cocido (30 g cada una)
Pimienta negra recién molida
Pimienta de Cayena
100 g de queso rallado, por ejemplo, Emmental
1 cucharadita de mantequilla
4 cucharadas de nata
Además se necesitarán
Un paño de cocina
Papel de aluminio

Tiempo de preparación: 20 min.
Tiempo de reposo: una noche
Tiempo de cocción: 1 h. 25 min.

Por ración: 570 kcal
proteínas = 36 g
grasas = 33 g
hidratos de carbono = 32 g

1 Ablandar los cereales con agua templada y dejarlos cubiertos en ella durante toda la noche. Al día siguiente pasar por un colador para que escurran bien.

2 Cortar el ajo y la cebolla en dados pequeños. Limpiar el tomillo y sacudirlo para que se seque. Calentar el aceite de oliva en una cacerola pequeña (de 20 cm de diámetro), y rehogar la cebolla y el ajo durante 2 minutos, hasta que adquieran un aspecto cristalizado. Añadir los granos de cereales y el concentrado de tomate y, sin dejar de remover, rehogar durante 1 minuto. Añadir el tomate de lata. Aclarar la lata con el caldo de verduras y añadir también ese caldo a la mezcla anterior. La salsa boloñesa se adereza con una pizca de sal y se le añade el tomillo. Hacer que la salsa hierva, taparla y dejarla a fuego lento durante 35 minutos más. Remover de vez en cuando. Al final, los granos de cereales deben estar blandos y la salsa debe haberse reducido.

3 Lavar la col y retirar el tronco central. Meter las hojas de la col en abundante agua salada cociendo y dejar que se cocine durante 7 minutos, pasar por un colador, echar por encima agua fría y dejar que se escurra bien. Colocar las hojas de col sobre un paño de cocina y eliminar las nervaduras más gruesas de las hojas, o bien cortarlas en sentido longitudinal. Colocar, una al lado de la otra, dos hojas de col de modo que formen una superficie grande y se superpongan por la zona central. Colocar encima una loncha de jamón.

4 Los cereales a la boloñesa se aderezan con sal, pimienta y pimienta de Cayena hasta que queden un poco picantes; dejar enfriar. Distribuir esta masa, por raciones, en el tercio inferior de la superficie de la col, echar por encima un poco de queso, cerrar con las partes laterales y enrollar la col. Precalentar el horno a 180 °C (con circulación de aire). Untar un molde con mantequilla y distribuir algo de queso en el fondo. Colocar el atadillo de col en el molde con la zona de cerrado hacia abajo. Espolvorear con queso, echar la nata y cubrirlo todo con papel de aluminio. Meter el molde en el horno (en la bandeja central). Pasados 5 minutos colocar el horno en su función de gratinado, retirar el papel de aluminio y dejar los rollitos allí unos 5 minutos, hasta que presenten un tono marrón dorado. Sacar los atadillos del horno y servir.

LA OPINIÓN DE LA MEDICINA Debido a su efecto rejuvenecedor, el indol-3-carbinol, que es un importante componente de la col rizada, tiene un demostrado efecto antioxidante y de protección vascular.

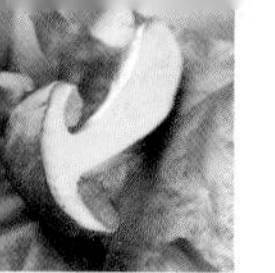

Hígado de ternera
CON SALVIA Y PURÉ DE REMOLACHA ROJA

PARA 2 PERSONAS

Para el hígado de ternera
6 filetes de hígado de ternera (de 40 g cada uno)
6 hojas de tamaño medio de salvia
2 cucharadas de aceite de oliva
Algo de harina para espolvorear (tipo 45, utilizada en bollería)
Sal marina, por ejemplo, «Flor de Sal»
Pimienta negra recién molida
1 cucharada de mantequilla

Para el puré de remolacha roja
500 g de patatas harinosas para cocer
100 mg de leche (1,5% de M.G.)
2 cucharadas de mantequilla
Sal
Pimienta negra recién molida
Nuez moscada recién rallada
120 g de remolacha roja cocida y envasada al vacío (de venta en supermercados)

Además se necesitarán
Un pasapurés
Un machacador de patatas
Papel de celofán

Tiempo de preparación: 50 min.

Por ración: 540 kcal
proteínas = 29 g
grasas = 28 g
hidratos de carbono = 43 g

1 Eliminar los posibles nervios del hígado. Limpiar las hojas de salvia y secarlas con papel de cocina, cubrir cada uno de los filetes con una hoja de salvia. Presionar un poco, tapar con papel de celofán y mantener en lugar frío.

2 Lavar las patatas, pelarlas y, según su tamaño, partirlas por la mitad o en cuatro trozos. Llevarlas a ebullición en abundante agua caliente, cubrirlas y dejar cocinar de 25 a 35 minutos. Escurrir las patatas ya blandas, volver a colocarlas en el fuego y cocinar al vapor, a fuego bajo, durante 5 minutos más. Las patatas deben estar lo más secas posibles antes de aplastarlas.

3 Calentar la leche en una cazuela pequeña. Aderezar la mezcla con sal, pimienta y nuez moscada. Aplastar las patatas en un recipiente, con ayuda de un pasapurés. Echar la leche con un cucharón por encima de la mezcla.

4 Cortar la remolacha roja en pequeños dados, echarlos a la cacerola en la que hemos cocido las patatas, calentar a fuego bajo y después añadirla al puré caliente. Si fuera necesario, el puré se puede mantener caliente en el horno a unos 80 °C.

5 Calentar el aceite de oliva en una sartén grande. Espolvorear un poco con harina, por ambos lados, los filetes de hígado, colocarlos en la sartén caliente con la parte de la salvia hacia abajo, cocinar durante 1 minuto, aderezar con sal marina y pimienta, dar la vuelta, cocinar un poco más y añadir la mantequilla. Saltear varias veces el hígado de ternera en la mantequilla caliente y sacar del fuego. Los filetes ya asados se colocan en platos precalentados, se acompañan con el puré de remolacha roja y patatas y se sirven salpicados con algo de mantequilla.

LA OPINIÓN DE LA MEDICINA El hígado de los animales criados de forma adecuada es un magnífico alimento desde el punto de vista de la medicina nutricional. Así, por ejemplo, el hígado de vacuno contiene ácido fólico en cantidades mayores que cualquier otro alimento (500-3000 µg por cada 100 g). Un nivel de ácido fólico equilibrado puede proteger contra infartos de corazón o apoplejía. Las elevadas concentraciones de selenio, hierro y otros minerales, así como ácido nucleico (purina, pirimidina) son necesarias para el metabolismo de las células y también se puede comprobar su presencia en el hígado. Además, las vísceras de los animales son una abundante fuente de vitaminas (A, B_1, B_2, B_6, B_{12}, D, E y K) y de ácido lipoico. Poseen propiedades antioxidantes, y por tanto rejuvenecedoras, y elevan la recepción y aprovechamiento de glucosa en la musculatura, lo que es de especial significado en la estructuración muscular.

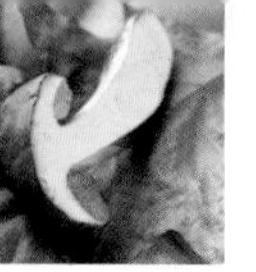

Steak de ciervo troceado

CON MAZORQUITAS DE MAÍZ Y ALBAHACA TAILANDESA

PARA 2 PERSONAS

250 g de carne de ciervo sin hueso ni tendones
150 g de mazorquitas de maíz (de venta en comercios asiáticos)
300 g de Pak Choi (col china, de venta en comercios asiáticos)
100 g de brotes de soja (de venta en comercios asiáticos)
1 vaina pequeña de chili rojo
2 ramas frescas de albahaca tailandesa (de venta en comercios asiáticos)
Sal
Pimienta negra recién molida
3 cucharadas de aceite de pepitas de uva
3 cucharadas de salsa de ostras (de venta en comercios asiáticos)
2 cucharadas de salsa de soja

Tiempo de preparación: 20-25 min.

Por ración: 370 kcal
proteínas = 32 g
grasas = 20 g
hidratos de carbono = 16 g

1 Lavar la carne de ciervo con agua fría, secarla con papel de cocina y eliminar los posibles nervios. Cortarla en lonchas de ½ centímetro de espesor.

2 Lavar las mazorquitas de maíz y partirlas por la mitad en sentido longitudinal. Lavar el Pak Choi y eliminar la zona del tallo. Separar las hojas y cortarlas en trozos de 1 centímetro de grosor. Pasar los brotes de judías de soja por agua fría y dejar que se escurran bien en un colador. Limpiar la vaina de chili, partirla por la mitad en sentido longitudinal, quitar las posibles semillas para que no resulte picante en exceso, y cortarla en trozos pequeños. Limpiar con cuidado la albahaca tailandesa, sacudirla para que se seque y separar las hojas.

3 Salpimentar la carne por ambos lados. Echar en un wok o sartén grande el aceite de pepitas de uva, colocar allí los trozos de carne y cocinarlos 1 minuto por cada lado. Sacarlos y reservarlos. Introducir el maíz y, sin dejar de remover, cocinar durante 1 minuto. Añadir el Pak Choi cortado en juliana y los brotes de judías de soja, mantener al fuego durante 1 minuto más.

4 Aderezar la verdura con la salsa de ostras y la de soja, añadir el chili y cocinar todo junto. Volver a introducir la carne, echar la albahaca y dejar otro minuto más sin parar de remover. Servir la carne acompañada de la verdura en platos precalentados, o en bandejas pequeñas, y acompañar con arroz basmati o aromático.

EL CONSEJO DE LA JEFA DE COCINA En lugar de albahaca tailandesa también se puede utilizar albahaca convencional. De todos modos, la albahaca mediterránea no posee el aroma especial de la tailandesa. También se puede variar al gusto de cada cual la carne para preparar este plato. La verdura combina bien con corzo, vaca, cerdo, pato o pollo.

LA OPINIÓN DE LA MEDICINA La caza es uno de los pocos alimentos naturales que podemos encontrar en nuestro tiempo. La carne es magra, no tiene grasa ni colesterol y además posee un elevado valor nutricional. Tiene mayor contenido de proteínas que la carne de cerdo. Además, sus proteínas son muy adecuadas para la formación de las proteínas propias del organismo y, por eso, resulta muy importante para todos los procesos de rejuvenecimiento y estructuración. Cabe decir además, y no menos importante, que la carne de caza posee una mínima parte de tejido conjuntivo, lo que hace que su digestión sea mucho más fácil.

Cazuela de pescado CON COLIFLOR, CURRY Y LECHE DE COCO

PARA 2 PERSONAS
1 cebolla pequeña (70 g)
1 diente pequeño de ajo
200 g de coliflor
1 cucharada de aceite de girasol
1 cucharadita de pasta roja de curry tailandés (de venta en comercios asiáticos)
1 cucharadita de concentrado de tomate
1 bote pequeño de leche de coco (165 ml)
150 g de nata
1 rama de hierba de limón (15 g, de venta en comercios asiáticos)
3 hojas de lima Kafir (de venta en comercios asiáticos)
4 langostinos sin cabeza (de 25 g cada uno)
200 g de rape en un trozo
2 filetes de gallineta sin piel (70 g cada uno)
60 g de tomates cherry
Sal
Algunas gotas de zumo de lima

Tiempo de preparación: 45 min.

Por ración: 540 kcal
proteínas = 44 g
grasas = 34 g
hidratos de carbono = 12 g

1 Pelar la cebolla, partirla por la mitad y luego cortarla en tiras finas. Pelar el ajo y cortarlo en daditos pequeños. Quitar el tronco grueso de la coliflor, separarla en pequeños rosetones y dejar aparte.
2 Calentar el aceite vegetal en una cacerola (de 24 cm de diámetro). Dorar la cebolla a fuego medio durante 1 minuto. Añadir la pasta de curry y remover durante 1 minuto. Incorporar el tomate concentrado y continuar cocinando 1 minuto más. Añadir la leche de coco y dejar hervir 1 minuto. Enjuagar la lata con 200 ml de agua e incorporar este líquido, junto con la nata, a la leche de coco. Añadir el ajo y dejar cocer todo durante 4 minutos.
3 La hierba de limón se aplana por la parte gruesa con el lomo del cuchillo y se parte por la mitad. Las hojas de lima se cortan en pedazos grandes. Los rosetones de la coliflor, la hierba de limón y las hojas de lima se incorporan al curry y se dejan cocer a fuego lento durante 20 minutos.
4 Entre tanto lavar los langostinos y el pescado con agua fría y secarlos con papel de cocina. Pelarlos, cortar la parte superior y eliminar las posibles hebras negras del intestino. Eliminar las venas y la piel del rape. Quitar las espinas de las gallinetas con ayuda de unas pinzas. Cortar el pescado en trozos de unos 3 cm.
5 Lavar los tomates, eliminar las zonas blancas de inserción de los tallos y partirlos por la mitad. Salar los trozos de pescado e introducirlos en el curry. Deja reposar durante 1 minuto, añadir los langostinos y los tomates, y cocinar durante 2 minutos más. Aderezar el curry de pescado con sal y zumo de lima, y servir con arroz basmati o aromático.

EL CONSEJO DE LA JEFA DE COCINA La hierba de limón y las hojas de lima sólo sirven para dar sabor y no deben ser consumidas. En lugar de rape y gallineta también se puede utilizar salmón, lucioperca o cabracho.

LA OPINIÓN DE LA MEDICINA El pescado de mar es rico en ácidos grasos omega-3, que rebaja el riesgo de trastornos del ritmo cardíaco, infartos y ataques de apoplejía. Evitan también la formación de sedimentos vasculares (placas) y de esa forma se mejora la salud de las arterias. Ya que reduce los niveles de ácidos grasos (triglicéridos), tiene un efecto muy positivo sobre los valores de lípidos en sangre (colesterol HDL y LDL). Además, también hace descender la presión arterial. Estos efectos se observan a muy corto plazo después de comenzar a consumir con regularidad el pescado. Es por eso que la Asociación Cardíaca Estadounidense recomienda a los adultos consumir pescado dos veces a la semana, en especial los marinos de tipo graso, como pueden ser el salmón, la caballa o el atún, que contienen los importantísimos ácidos grasos omega-3.

Salmón
CON COLINABO Y SETAS SHIITAKE

PARA 2 PERSONAS
1 colinabo (400 g)
100 g de setas frescas shiitake
1 cucharada de mantequilla
Sal
2 filetes de salmón con piel y sin escamas (de 220 g cada uno)
Sal marina, por ejemplo, «Flor de Sal»
3 cucharadas de aceite oliva para freír
1 ó 2 ramas de perejil
Pimienta negra recién molida

Tiempo de preparación: 25-30 min.

Por ración: 610 kcal
proteínas = 47 g
grasas = 44 g
hidratos de carbono = 6 g

1 Pelar el colinabo. Colocar algunas hojas en agua fría. Cortarlo en tiras de 1 cm de ancho y 6 cm de largo. Quitar el pedúnculo a las setas shiitake y cortarlas en rodajas de 1 y ½ centímetros. Derretir la mantequilla en una cacerola (de 24 cm de diámetro). Rehogar un poco el colinabo, añadir 150 ml de agua y aderezar con una pizca de sal. Tapar y remover de vez en cuando; dejar a fuego bajo durante unos 10 minutos.
2 Entre tanto, lavar el salmón con agua fría y secarlo con papel de cocina. Con un cuchillo afilado hacer dos cortes transversales en la parte de la piel (véase «El consejo de la jefa de cocina»). Salpimentar los filetes de pescado por ambos lados. Calentar la cucharada de aceite de oliva en una sartén, colocar el pescado con la parte de la piel hacia abajo y cocinar durante 4 minutos a fuego lento. Dar la vuelta, mantener un breve instante al fuego, retirar la sartén y dejar que se acaben de hacer durante 3 minutos gracias al calor residual.
3 En una segunda sartén calentar el resto de aceite de oliva y añadir las setas. Aderezar con una pizca de sal marina y cocinar a fuego medio durante 2 minutos.
4 Lavar el perejil y sacudirlo para que se seque. Separar las hojas y cortarlas junto a las de colinabo. Salar la hortaliza del colinabo y colocarla después en platos precalentados junto a las hierbas cortadas y las hojas de colinabo. El pescado se coloca sobre la verdura con la parte de la piel hacia arriba. Las setas shiitake se colocan sobre el pescado, se añade pimienta y se sirve. Se puede comer la piel crujiente del pescado.

EL CONSEJO DE LA JEFA DE COCINA El pescado, siempre que sea posible, debe freírse o cocinarse con la parte de la piel hacia abajo. Por medio de esta capa de protección natural, la carne queda más jugosa. Además, el pescado se hace más rápido si se le hacen unos ligeros cortes en la piel.

LA OPINIÓN DE LA MEDICINA En Asia, las setas se han utilizado desde hace siglos como preventivo de las enfermedades. Así las setas, y en especial las shiitake, forman parte de uno de los remedios conocidos desde hace más tiempo como elemento para la protección y la lucha contra los procesos de envejecimiento. Las setas shiitake se caracterizan por su elevado contenido en minerales, vitaminas, oligoelementos, aminoácidos y polisacáridos. No es una casualidad, por consiguiente, que debido a su efecto antiedad el pescado sea algo más que una fuente de inspiración para la cocina asiática.

Peras al saúco
CON CHAMPÁN ROSADO Y GORGONZOLA

PARA 2 PERSONAS

1 pera madura, por ejemplo, Williams Christ (200 g)
1 cápsula de cardamomo
1 clavo
1 cucharada de azúcar
1 limón ecológico pequeño
2 hojas de gelatina blanca
25 ml de sirope de flores de saúco (de venta en herbolarios y supermercados)
150 ml de champán o cava rosado
100 g de queso gorgonzola

Tiempo de preparación: 20-25 min.
Tiempo de enfriamiento: una noche

Por ración: 335 kcal
proteínas = 12 g
grasas = 16 g
hidratos de carbono = 29 g

1 Pelar las peras y partirlas por la mitad. Si es posible no quitar el rabo, eliminar con una cuchara pequeña las semillas centrales. La piel de la pera y el corazón, junto con el cardamomo, el clavo y el azúcar se introducen en una cacerola pequeña (de 20 cm de diámetro). Exprimir el limón, añadir el zumo, la cáscara y ½ litro de agua en la cacerola y llevar a ebullición. Colocar dentro las dos medias peras, tapar y cocer a fuego bajo durante 10 minutos. Pasado ese tiempo, la pera debería estar blanda. Para comprobarlo se pincha con un cuchillo pequeño o un tenedor.
2 Remojar la gelatina en agua fría.
3 Extraer del caldo las dos mitades de la pera y dejar enfriar. Sacar unos 25 ml (unas 2 y ½ cucharadas) del sirope de pera caliente y echarlo en un recipiente. Cortar la gelatina y sumergirla en el sirope, disolverla sin dejar de remover.
4 Mezclar el sirope de saúco con la mezcla de gelatina. Añadir con cuidado el champán o el cava y remover. Colocar las peras en vasos o en un recipiente, regar con el jugo de saúco y cubrirlas con papel transparente. Dejar enfriar durante toda la noche o al menos durante 4 horas.
5 Quitar la corteza del queso gorgonzola, cortarlo en trozos y servirlo junto a las peras al saúco.

EL CONSEJO DE LA JEFA DE COCINA Las peras al saúco también saben muy bien sin el acompañamiento de queso.

LA OPINIÓN DE LA MEDICINA El clavo contiene aceites esenciales como el eugenol y el acetato de eugenol. Este último inhibe el aglutinamiento de las plaquetas y así previene de dolencias cardiocirculatorias producidas por los sedimentos vasculares (placas). El eugenol, que también aparece en la canela, tiene efectos antibacterianos. Su principio activo se utiliza en la industria cosmética para la fabricación de cremas antiedad.
Entre las más de 5.000 variedades de peras, una de las más conocidas es la Williams Christ. La pera es una fruta pobre en ácidos pero que contiene tanto azúcar como la manzana. Por eso saben muy dulces y las pueden digerir muy bien las personas sensibles a los ácidos. Favorecen la función intestinal, tienen efectos diuréticos y son muy efectivas contra la presión arterial elevada. Además, las peras contienen la valiosa fibra que ayuda a descargar el metabolismo. Su contenido de ácidos silícico y fosfórico fortalece el sistema nervioso; un cóctel muy efectivo contra los efectos de la edad.

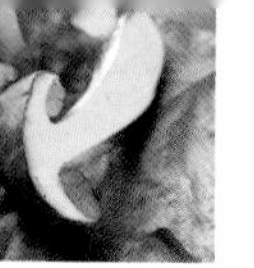

Pannacotta
CON HIBISCO Y CEREZAS DE ACEROLA

PARA 2 PERSONAS
½ vaina de vainilla
200 g de nata
100 ml de leche (1,5% de M.G.)
1 cucharada de azúcar (20 g)
1 cucharadita de flores secas de hibisco para infusión (de venta en herbolarios)
1 hoja de gelatina blanca
2 cucharadas de zumo de cerezas de acerola (de venta en herbolarios)

Tiempo de preparación: 15 min.
Tiempo de enfriamiento: una noche

Por ración: 370 kcal

proteínas = 4 g
grasas = 32 g
hidratos de carbono = 16 g

1 Cortar la vaina de vainilla en sentido longitudinal. La zona central se rasca con la parte trasera de un cuchillo. En una cacerola pequeña (de 16 cm de diámetro) se lleva a ebullición la nata junto con la leche, la vaina de vainilla, la raspadura de la misma y el azúcar. Se añaden las hojas de hibisco, se retira la cazuela del fuego y se deja reposar durante 10 minutos.
2 Entre tanto, la gelatina se sumerge en agua fría para que se reblandezca.
3 La nata de hibisco se lleva de nuevo a ebullición. Se incorpora la gelatina y se remueve en la nata caliente. El pannacotta se pasa por un colador fino y se coloca en un recipiente. Añadir el zumo de las cerezas de acerolas, rellenar vasos de ración o pequeños moldes y dejar enfriar. Tapar con papel transparente y dejar en reposo durante toda una noche.
4 Sacar de la nevera el pannacotta 10 minutos antes de servirlo. Como mejor sabe es sin ningún tipo de decoración o añadido posterior.

LA OPINIÓN DE LA MEDICINA Las cerezas de acerola y las cerezas normales son frutos con hueso, pero no están emparentadas desde el punto de vista botánico. Originariamente, las cerezas de acerola provenían de la península mexicana de Yucatán. Era, junto al camu-camu, una de las frutas más ricas en vitamina D, 3 g por cada 100 g de carne de fruta. Además, las acerolas contienen vitamina B_6, provitamina A, hierro, calcio, magnesio, tiamina, riboflavina y niacina. Debido a la delicadeza de su carne resulta casi imposible el transporte de los frutos sin que sufran daños, por lo que fuera de Sudamérica sólo llega al mercado en forma de zumos. El zumo de acerola es una protección ideal contra el agotamiento del otoño y los enfriamientos. También puede prevenir contra un elevado nivel de glucosa en sangre condicionado por la edad, y se presume que actúa con la «misma eficacia que un grupo de trabajo japonés». Los investigadores descubrieron que el polifenol contenido en las cerezas de acerola rebaja los niveles de azúcar en sangre tras una comida y, a la vez, evita la disociación del azúcar de alimentación y la resorción de la glucosa en el intestino.
«Leche cruda» es la denominación que se da a la leche sin tratar y al componente básico de todos los productos lácteos. Del mismo modo que «leche certificada» designa a la leche que sólo ha sido filtrada por los productores y posteriores elaboradores y que debe conservarse en frío después de ser embotellada. La leche certificada no debe calentarse como se hace en los procesos de tratamiento a temperatura ultraelevada y en la pasteurización. Tampoco debe ser homogeneizada. Las sustancias contenidas en la leche, como las vitaminas y las grasas naturales, se mantienen así de forma óptima. Ya que la leche cruda puede contener agentes patógenos, en el marco de una saludable alimentación antiedad debe cocerse antes de consumirse.

¡RECETAS SABROSAS PARA EL INVIERNO

...reconfortantes y fortalecientes!

Cuando los días se hacen más cortos y las temperaturas bajan, precisamos sacar mucha energía de nuestro interior para aguantar las semanas y los meses que se nos vienen encima. La salud y el alto rendimiento con que pasemos el invierno y cómo nos sintamos en la estación más fría del año dependerá en una parte nada despreciable de una alimentación equilibrada, reforzada y rica en vitaminas.

Croissants de chocolate
CON JENGIBRE Y AVELLANAS

PARA 6 CROISSANTS PEQUEÑOS

3 planchas congeladas de hojaldre (de 75 g cada una, de 19 x 10 cm)
50 g de avellanas peladas
30 g de chocolate amargo (con un 85% de cacao)
6 varas de jengibre puestas en sirope (de 4 g cada una; de venta en herbolarios)
1 yema de huevo (tamaño M)
1 cucharada de leche (1,5% de M.G.)
Algo de harina para la superficie de trabajo (tipo 45, especial para bollería)
Azúcar glas para espolvorear (opcional)

Además se necesitarán
Rodillo de cocina
Papel para hornear

Tiempo de preparación: 30 min.
Tiempo de reposo: una noche

Por ración: 250 kcal
proteínas = 4 g
grasas = 17 g
hidratos de carbono = 19 g

1 La noche anterior se pondrán en la nevera las planchas de hojaldre para que se descongelen.
Precalentar el horno a 200 °C (con circulación de aire).

2 Usar el robot de cocina, o un cuchillo, para romper las avellanas en trozos pequeños. El chocolate amargo se cortará en seis pedazos del mismo tamaño. Las varas de jengibre se cortan por la mitad en sentido longitudinal. Mezclar en un recipiente pequeño la yema de huevo con la leche.

3 Las placas de hojaldre se despliegan sobre la superficie de trabajo, que debe estar espolvoreada con harina, y se pintan con una ligera capa de yema batida de huevo. Por encima se echan las avellanas, llegando hasta los bordes de la masa, y se presionan bien. Cada placa se divide en dos cortándola en diagonal para formar dos triángulos del mismo tamaño. Dar la vuelta a los triángulos y pasar un par de veces el rodillo de madera sobre ella hasta que las avellanas se hayan mezclado bien con el hojaldre. Con un cuchillo, en cada triángulo de hojaldre se hace un corte de 2 cm en su lado corto, de forma que luego los cuernecillos se enrollen con facilidad.

4 En cada triángulo de hojaldre se coloca un trozo de chocolate y una barra de jengibre. Las puntas se pintan con yema de huevo y se enrolla el triángulo hasta formar los croissants. Los bollos se colocan en una bandeja que antes se habrá cubierto con papel de hornear, se introduce en el horno (en la bandeja central) y se hornean durante 18 ó 20 minutos hasta que obtengan un color marrón dorado y estén crujientes.

5 Sacar los croissants del horno y dejarlos enfriar. Si se desea, se pueden espolvorear con azúcar glas y luego servir.

EL CONSEJO DE LA JEFA DE COCINA **El hojaldre se hincha y esponja mucho mejor si antes de hornearlo, pero ya dentro del horno, se le echa un buen chorro de agua por encima. El vapor caliente hará que quede muy aireado y vaporoso.**

LA OPINIÓN DE LA MEDICINA **Desde el punto de vista de sus cualidades antiedad, el chocolate tiene algunas cosas que ofrecer: 100 g de chocolate contienen 50 g de azúcar.**
La relación de masa de cacao y mantequilla de cacao varía según la calidad del chocolate, entre 48:4 g en el caso del amargo, 15:35 g para el chocolate con leche, o 0:50 g en el chocolate blanco. Todos los tipos contienen 30 gramos de grasa por cada 100 de chocolate, pero también 15 g de fibra y 5 a 10 g de proteínas. Resulta sorprendente, pero la elevada cantidad de azúcar tiene poca influencia sobre el nivel de glucosa en sangre, lo que se atribuye al elevado contenido en grasas que retrasa la absorción de la glucosa. Además, el chocolate contiene sustancias bioactivas, como la teobromina y anandamina, que inciden como estimulantes anímicos, así como el triptófano y una gran cantidad de sustancias minerales muy valiosas, sobre todo magnesio, hierro, cobre y níquel, así como un flavonoide denominado epicatequina, que tiene un efecto antioxidante y favorece el crecimiento de las células de la piel.

Trenza de espelta
CON PASAS Y ALMENDRAS

PARA 12 TROZOS DE TRENZA
500 g de harina integral de espelta
80 g de azúcar
200 ml de leche (1,5% de M.G.)
1 dado de levadura fresca (42 g)
100 g de mantequilla
2 huevos (tamaño M)
Sal
60 g de pasas
1 yema de huevo (tamaño M)
1 cucharada de leche (1,5% de M.G.)
10 g de almendras en láminas
Algo de harina para la superficie de trabajo
Azúcar glas para espolvorear
Además se necesitarán
Papel para hornear

Tiempo de preparación: 25 min.
Tiempo de reposo: 2 horas
Tiempo de cocción: 35 min.

Por ración: 270 kcal
proteínas = 8 g
grasas = 9 g
hidratos de carbono = 38 g

1 Echar la harina en un recipiente grande y hacer un hoyo en el centro. Espolvorear los bordes con azúcar. Templar 200 ml de leche. Desmigajar con los dedos en una taza la levadura, añadir cinco cucharadas de leche templada y una de harina del recipiente y remover. Echar esta leche con levadura en el hoyo que se ha practicado antes en la harina. Tapar el recipiente con un paño de cocina y dejar reposar en un lugar templado durante 20 minutos.
2 Entre tanto cortar la mantequilla en pequeños dados, echar los huevos sin remover a lo que queda de leche templada. La leche con el huevo y una pizca de sal se añaden a la masa ya reposada y se trabaja con varillas en el robot de cocina durante el tiempo necesario hasta que la masa queda lisa y sin burbujas. Para finalizar se añaden las pasas a la masa.
3 Espolvorear con harina tanto las manos como la superficie de trabajo. Sacar la masa del recipiente y formar una bola con ella. Espolvorear la base del recipiente con algo de harina. La masa se vuelve a colocar en el recipiente, se tapa y se deja reposar durante 30 minutos. Más tarde se darán unos pellizcos en la masa con las puntas de los dedos y se dejará tapada durante otros 40 minutos.
4 Sobre la superficie de trabajo enharinada se reparte la masa en tres trozos iguales. Con cada trozo se prepara una tira de 55 cm de largo y luego se usan las tres tiras para formar una trenza. Esta trenza se coloca sobre una bandeja de horno cubierta con papel de hornear, se cubre con un paño de cocina durante 3 minutos y se deja reposar. Se precalienta el horno a 170 °C (con circulación de aire). En un recipiente pequeño se mezclan la yema de huevo y una cucharada de leche, se pinta la trenza con esa mezcla y se espolvorea con láminas de almendra. Se mete en el horno (en la bandeja central) y se deja 35 minutos hasta que adquiera un tono marrón dorado.
5 Sacar del horno, dejar enfriar, espolvorear con azúcar glas y cortar rebanadas del grosor de un dedo. Se puede servir en el desayuno con mantequilla y mermelada.

EL CONSEJO DE LA JEFA DE COCINA **Todos los ingredientes deben trabajarse a temperatura ambiente y también la mantequilla y los huevos deben templarse antes de agregarlos a la leche. La trenza ya horneada se puede congelar sin ningún problema.**

LA OPINIÓN DE LA MEDICINA **La espelta ofrece más sustancias minerales y vitaminas que el mejor trigo. Su alto contenido de ácido silícico tiene un efecto muy positivo sobre la capacidad mental y de concentración, así como sobre la salud del pelo y la piel.**

Ensalada de fruta
CON NUECES Y ACEITE DE LINO

PARA 2 PERSONAS
1 pomelo rosado
2 naranjas
½ granada (180 g)
½ mango maduro sin hueso (150 g)
1 manzana (140 g)
20 g de nueces peladas
Algunas gotas de aceite de lino

Tiempo de preparación: 10-15 min.

Por ración: 315 kcal
proteínas = 5 g
grasas = 10 g
hidratos de carbono = 51 g

1 Pelar a conciencia el pomelo y las naranjas con un cuchillo afilado para eliminar también la piel blanca. El pomelo y las naranjas se deberán filetear sobre un recipiente a fin de guardar el zumo que caiga y utilizarlo para la ensalada, de esa forma los ingredientes quedarán aún más jugosos. Los gajos sueltos se separarán de las pieles intermedias con un cuchillo muy afilado.
2 Ahora se preparan las diversas frutas y se mezclan con los cítricos: la granada se corta en trozos grandes y se separan los granos con los dedos. El mango se pela y trocea al tamaño adecuado para poder meterlo en la boca. Lavar la manzana, partirla en cuatro trozos, eliminar el corazón y cortarla en lonchas delgadas. Trocear las nueces.
3 Mezclar toda esa colorida ensalada, rellenar con ella unos cuencos de ración, espolvorear con nueces y rociar con unas gotas de aceite de lino; servir.

EL CONSEJO DE LA JEFA DE COCINA El mango debe estar maduro para poder aportar suficiente sabor dulce natural a la mezcla de frutas. Para una buena ensalada de frutas es necesario contar siempre con cítricos, pues los ácidos de la fruta que contienen sirven para que algunos de sus compañeras, como las peras y las manzanas, no adquieran una coloración marrón.

LA OPINIÓN DE LA MEDICINA Las grasas vegetales con elevados contenidos de ácidos grasos insaturados pueden hacer descender los niveles de colesterol en sangre. Un ácido graso muy valioso desde el punto de vista médico es el ácido alfalinolénico, más conocido como ácido graso omega-3. No sólo tiene un efecto regulador del sistema inmunitario, sino que también sirve de positivo estimulante del sistema nervioso y puede proteger frente a enfermedades nerviosas degenerativas. Esos ácidos grasos aparecen también en el pescado, el aceite de nueces, la soja y el aceite vegetal y, en especial, el aceite de lino que se utiliza en esta receta y que contiene un 50% de ácidos grasos omega-3.
La ensalada de frutas tiene también mucha vitamina C, que es un importante captador de radicales y sirve para fortalecer nuestro sistema de defensa. También contiene vitamina A, abundante en el mango. Además, los pomelos, las naranjas, las granadas y el resto de las frutas contienen gran cantidad de sustancias vegetales secundarias que aportan un efecto antioxidante y rejuvenecedor.
A ellas pertenecen la naringenina y bergamotina, contenidas en el pomelo, y los polifenoles, como el ácido elágico de la granada. Los polifenoles de la granada poseen además un efecto antiestrogénico que aminora los trastornos del climaterio. Ambos frutos contienen sustancias que ayudan a reducir el colesterol y mejoran la relación entre el colesterol LDL y HDL. En este sentido, los pomelos de carne rosada son mucho más recomendables.

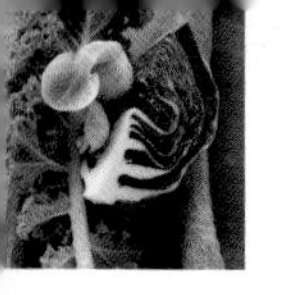

Leche a la algarroba
CON ANÍS ESTRELLADO Y CANELA

PARA 2 PERSONAS
¼ vaina de vainilla
½ litro de leche fresca
(3,5% de M.G.)
2 ó 3 puntas de anís estrellado
1 trozo pequeño de canela
4 cucharaditas de algarroba en polvo (de venta en herbolarios)

Tiempo de preparación: 6-8 min.

Por ración: 185 kcal
proteínas = 8 g
grasas = 9 g
hidratos de carbono = 12 g

1 Cortar en sentido longitudinal la vaina de vainilla y rascar el interior con la parte posterior de un cuchillo. Echar en una cazuela pequeña la leche con la vaina de vainilla, la ralladura de la misma, el anís estrellado y la canela. Llevar a ebullición y dejar cocer 5 minutos a fuego lento. Añadir el polvo de algarroba.
2 Quitar los ingredientes que sirven como aromatizantes. Rellenar tazas con la leche de algarroba y saborear como bebida caliente para los fríos días de invierno.

LA OPINIÓN DE LA MEDICINA **El polvo de algarroba, pobre en grasas, se obtiene a partir de la fruta del algarrobo (también conocido como «Pan de San Juan»); contiene la rejuvenecedora vitamina A, vitaminas del grupo B con un efecto fortaleciente de los nervios, así como calcio, hierro y, en especial, fibra y sustancias vegetales secundarias. Por ese motivo, el polvo de algarroba puede conseguir un descenso de los valores de lípidos en sangre y al mismo tiempo elevar la combustión de las grasas. Es un buen sucedáneo del polvo de cacao.**

Infusión de jengibre
CON MANDARINAS Y SIROPE DE ARROZ

PARA 2 PERSONAS
1 trozo pequeño de jengibre fresco (15 g)
Zumo de 2 mandarinas maduras (unos 100 ml)
2 cucharaditas de sirope de arroz (de venta en herbolarios)

Tiempo de preparación: 25 min.

Por ración: 30 kcal
proteínas = 0 g
grasas = 1 g
hidratos de carbono = 7 g

1 Pelar el jengibre y cortarlo en láminas delgadas. Colocar esas láminas en una cazuela pequeña con ½ litro de agua y llevar a ebullición; dejar cocer a fuego lento durante 20 minutos.
2 Exprimir las mandarinas. Enriquecer la infusión de jengibre con el zumo de mandarina y el sirope de arroz. Pasar por un colador fino y servir como bebida caliente.

EL CONSEJO DE LA JEFA DE COCINA **En lugar del sirope de arroz recomendado, también se puede utilizar tanto azúcar como miel.**

LA OPINIÓN DE LA MEDICINA **El jengibre contiene la espesa oleorresina que está compuesta de aceites esenciales y de gingeroles y shoagoles. Los extractos de raíz contenidos en esta infusión tienen un efecto antioxidante, reconfortante y estimulante del tracto digestivo, animando su funcionalidad. Por eso el jengibre, tanto como extracto clásico o bien en forma de infusión, tiene una especial importancia en la medicina asiática con fines desintoxicantes o para estimular el apetito. Es muy bueno para tomarlo como aperitivo antes de las comidas.**

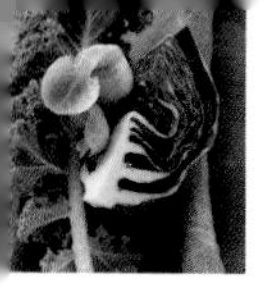

Codornices
CON ENSALADA DE LOMBARDA Y VINAGRETA DE MEMBRILLO

PARA 2 PERSONAS
½ membrillo, ya sea con forma de pera o de manzana (150 g)
1 cucharada de azúcar
100 ml de zumo de manzana
350 g de lombarda (sin el troncho central)
3 cucharadas de vinagre de manzana
Sal
Pimienta negra recién molida
3 cucharadas de aceite de pepitas de uva
1 pizca de canela molida
1 pizca de pimentón molido

Para las codornices
2 codornices (de 200 g cada una)
2 ó 3 ramas de tomillo
1 cucharadita de mantequilla fría
2 cucharadas de aceite de pepitas de uva
80 ml de oporto rojo

Además se necesitarán
Unos guantes de un solo uso

Tiempo de preparación: 35-40 min.

Por ración: 555 kcal
proteínas = 37 g
grasas = 29 g
hidratos de carbono = 25 g

1 Pelar el membrillo, cortarlo en cuatro trozos y retirar el corazón. Partir cada una de las partes en rodajas delgadas, como también se hará después con la lombarda.
2 Calentar el azúcar en una cacerola pequeña (de 18 cm de diámetro) y caramelizarla hasta que tenga un tono marrón claro. Añadir las rodajas de membrillo, rociar con el zumo de manzana y mantener tapado a fuego lento durante 5 minutos. Retirar la cazuela del fuego y dejar que el membrillo se enfríe.
3 Cortar la lombarda en tiras finas. Lo mejor es utilizar guantes de un solo uso, ya que de lo contrario teñirá las manos. Las tiras de lombarda se echan en un recipiente, se añade el vinagre de manzana, se adereza con sal y pimienta, se mezcla bien y se deja reposar durante 15 minutos. Quitar el agua de los trozos de membrillo y mezclar con las tres cucharadas de aceite de uva; añadir a la ensalada de lombarda. Enriquecer con canela y pimentón. Eventualmente volver a salpimentar. Mezclar de nuevo toda la ensalada.
4 Lavar las codornices con agua fría, tanto por dentro como por fuera, secar con papel de cocina. Separar de la carcasa las pechugas y los muslos. A continuación cortar las puntas de las alas y, con sumo cuidado, retirar los huesecillos de los muslos. Lavar el tomillo, sacudirlo para que se seque y reservar una rama para adornar el plato. Cortar la mantequilla en dados pequeños. Salpimentar los trozos de codorniz.
5 Calentar las dos cucharadas de aceite de uva en una sartén grande. Colocar en el aceite caliente el tomillo y los trozos de codorniz con la parte de la piel hacia abajo, dejar durante 1 minuto a fuego medio, dar la vuelta y dejar otro minuto más. Retirar la grasa que se haya formado, echar el oporto sobre la sartén con las codornices, dejar cocinar por un instante y añadir la mantequilla fría.
6 Colocar la ensalada al lado de los trozos de codorniz. Decorar con el tomillo que se ha reservado y servir, por ejemplo, a modo de entrante navideño.

S LA OPINIÓN DE LA MEDICINA **Junto a la vitamina D, el hierro, el potasio y otras sustancias minerales, así como el ácido silícico, en el membrillo se encuentra una gran cantidad de pectina (del 1,2 al 1,8%), es decir, el doble de la que tiene la manzana. Esta fibra soluble estimula las funciones de la digestión, absorbe las sustancias tóxicas en el intestino y reduce la asimilación de colesterol. La sílice favorece la formación del pelo, la piel, las uñas, los dientes, los huesos y el tejido conjuntivo y, por lo tanto, es muy importante para personas de edades avanzadas.**

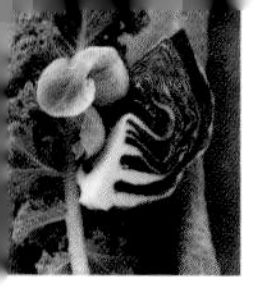

Crujiente de patatas y cebolla
CON TRUCHA ASALMONADA Y RÁBANO PICANTE

PARA 2 PERSONAS
2 filetes de trucha asalmonada con piel (de 200 g cada uno)
1 ó 2 ramas de eneldo
1 ó 2 ramas de albahaca
2 cucharadas de aceite de oliva
450 g de patatas harinosas para cocer de tamaño medio
Sal
½ cucharadita de semillas de comino
1 cebolla (100 g)
Pimienta negra recién molida
Nuez moscada recién rallada
Sal marina, por ejemplo, «Flor de sal»
5 ó 6 cucharadas de aceite vegetal para freír

Para la salsa
2 cucharadas de crema ácida
2 cucharadas de yogur natural (1,5% de M.G.)
1 ó 2 ramas de eneldo
1 ó 2 ramas de albahaca (8 o 10 hojas)
1 trozo pequeño de rábano largo fresco

Además se necesitarán
Papel transparente
Un rallador de verduras o uno de cuatro caras

Tiempo de preparación: 1 hora

Por ración: 625 kcal
proteínas = 44 g
grasas = 37 g
hidratos de carbono = 29 g

1 Lavar el pescado con agua fría, secar con papel de cocina y, si se estima necesario, retirar con pinzas las espinas de la zona central. Cortar los filetes en cuatro trozos de igual tamaño. Lavar las hierbas y sacudirlas para que se sequen. Pintar un molde con una cucharada de aceite de oliva. Colocar los filetes de pescado con la parte de la piel hacia abajo, colocar encima las ramas de hierbas y reservar. Precalentar el horno a 80 °C (con calor arriba y abajo).

2 Limpiar a fondo las patatas. Llenar una cacerola con abundante agua y salar. Introducir el comino y las patatas, tapar y llevar a ebullición. Cocer durante 18 minutos hasta que estén hechas. Sacar las patatas, dejarlas enfriar, pelarlas y rallar luego con el rallador de verduras.

3 Pelar las cebollas, partirlas por la mitad y cortar en tiras finas. Calentar 1 cucharada de aceite de oliva en una sartén pequeña. Introducir la cebolla y rehogar durante 3 minutos a fuego medio hasta que tenga un aspecto cristalizado. Añadir la cebolla a la patata rallada, aderezar con sal, pimienta y nuez moscada, y remover bien.

4 Unos 25 minutos antes de servir, aderezar el pescado con sal marina y pimienta, cubrir con papel transparente e introducir en el horno (en la bandeja central). Dejar que se cocine durante 25 minutos.

5 Paralelamente a lo anterior calentar en una sartén grande tres cucharadas de aceite vegetal. Utilizar las manos para preparar con la masa de patata seis discos planos del mismo tamaño, echarlos a la sartén caliente y cocinar a fuego medio. Después de 6 minutos dar la vuelta, añadir algo más de aceite y, a fuego lento, dejar de 12 a 14 minutos hasta que tengan un tono marrón dorado. Darles la vuelta de vez en cuando.

6 Para preparar la salsa, echar en un recipiente la crema y el yogur, salpimentar. Lavar el eneldo y la albahaca, sacudirlos para que se sequen. Separar las puntas y las hojas, reservar algunas para la decoración, cortar el resto y echarlo en la salsa de yogur.

7 Sacar el pescado del horno y retirar el papel transparente. Dar la vuelta a los filetes y, ya sea con los dedos o con ayuda de dos tenedores, retirar con cuidado la piel. Pelar el rábano y rallarlo o cortarlo en finas rebanadas. Los crujientes de patata se colocarán sobre papel de cocina para que se escurra todo el aceite posible; colocarlos con el pescado en platos precalentados y salsear. Decorar con las hierbas frescas, esparcir por encima el rábano y servir.

EL CONSEJO DE LA JEFA DE COCINA **El crujiente se debe hacer poco a poco, de lo contrario por fuera quedará bien aunque esté crudo por dentro.**

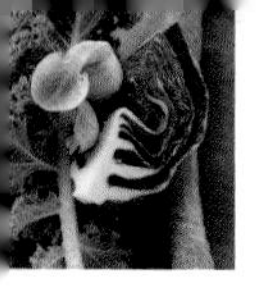

Sopa de perejil CON ZUMO DE REMOLACHA ROJA

PARA 2 PERSONAS
350 g de perejil
1 cebolla pequeña (70 g)
1 cucharada de mantequilla
Sal
½ litro de caldo de verduras
100 g de nata
Pimienta negra recién molida
Pimienta de Cayena
2 cucharadas de zumo de remolacha roja (de venta en herbolarios
o supermercados)

Tiempo de preparación: 45 min.

Por ración: 285 kcal
proteínas = 7 g
grasas = 22 g
hidratos de carbono = 14 g

1 Lavar el perejil y cortarlo en trozos de 1 cm. Pelar la cebolla y cortarla en dados pequeños.
2 Derretir la mantequilla en una cazuela (de 20 cm de diámetro), y rehogar la cebolla durante 2 minutos hasta que adquiera un aspecto cristalizado. Añadir el perejil y rehogarlo todo 2 minutos a fuego medio. Aderezar con dos pizcas de sal y remover de forma continua.
3 Añadir el caldo de verduras, llevar a ebullición, tapar y dejar 30 minutos a fuego lento. Retirar la tapa, añadir la nata y, sin tapar, dejar cocer durante 5 minutos más.
4 Remover la sopa con una batidora, aderezar con sal, pimienta y pimienta de Cayena. Echarla en platos hondos precalentados o en cuencos, rociar con una cucharada de zumo de remolacha roja y servir.

VARIANTE **Con las cantidades antes descritas se obtiene medio litro de sopa. En lugar de perejil también se puede utilizar apio o chirivía. Esta sopa se puede mejorar de diversas formas: si se tienen invitados o para preparar un exquisito plato de Navidad, se pueden añadir ingredientes más refinados, tales como vieiras o langostinos.**

EL CONSEJO DE LA JEFA DE COCINA **Esta sopa es un plato intermedio ideal para un brunch. Para esas ocasiones se puede servir en tazas pequeñas. Además, podemos cortar en dados una rebanada de pan integral, freírlos con aceite de oliva y un poco de tomillo hasta que adquieran un tono marrón dorado, salar un poco, retirar de la sartén y dejarlos sobre papel de cocina para que escurra la grasa. Servir como crujiente acompañamiento de la sopa.**

LA OPINIÓN DE LA MEDICINA **Debido a su elevado contenido de vitamina B, potasio, hierro y, sobre todo, ácido fólico, la remolacha roja es una hortaliza con un magnífico efecto rejuvenecedor sobre el organismo humano. Su llamativo color rojo se basa sobre todo en la elevada concentración del glucósido denominado betanina, que proviene del grupo de las betalaínas. Este componente es un antioxidante muy efectivo que, además, registra un efecto muy favorable frente al colesterol LDL y, en consecuencia, protege de la formación de sedimentos vasculares (placas) y el desarrollo de arteriosclerosis. Las personas que tienen tendencia a la formación de cálculos en el riñón deben consumir poca remolacha roja u hortalizas emparentadas con ella, pues es muy rica en ácido oxálico.**

Guiso italiano de hierbas CON TERNERA Y CEBADA

PARA 2-3 PERSONAS
500 g de carne de ternera (espaldilla o pescuezo)
1 cebolla (100 g)
400 g de repollo
1 diente pequeño de ajo
Sal
Pimienta negra recién molida
2 cucharadas de aceite de oliva
1 cucharada de concentrado de tomate
1 lata de tomate para pizzas cortado en trozos pequeños (400 g)
700 ml de caldo de verduras
2 ó 3 hojas de salvia de tamaño medio
2 ó 3 ramas de orégano
2 ó 3 pizcas de chili seco
60 g de granos de cebada (de venta en herbolarios)
Aceite de oliva para rociar
Queso parmesano en trozos o rallado

Tiempo de preparación: 15-20 min.
Tiempo de cocción: 2 horas

Por ración: 390 kcal
proteínas = 43 g
grasas = 13 g
hidratos de carbono = 25 g

1 Lavar la carne con agua fría, secar con papel de cocina y cortar en dados de 2 cm de tamaño. En este caso no se deben retirar los tendones y la grasa.
2 Pelar la cebolla y cortarla en dados de 1 cm de tamaño. Quitar el tronco del repollo y cortarlo en trozos de 2 cm de grande. Pelar el diente de ajo y cortarlo en trocitos pequeños. Salpimentar la carne.
3 Calentar el aceite de oliva en una cazuela (de 24 cm de diámetro). Introducir la carne en el aceite caliente y cocinar durante 10 minutos a fuego medio. Dejar reducir totalmente el agua que aparezca. Añadir la cebolla y rehogarla durante 1 minuto. Echar el concentrado de tomate y cocinar durante 3 minutos sin dejar de remover. Llevar a ebullición el tomate de lata con los 400 ml de caldo de verduras, aclarar la lata con un poco de ese caldo y añadirlo también a la cazuela.
4 Lavar las hierbas y sacudirlas para que se sequen. Echar a la cazuela la salvia, el ajo y dos pizcas de chili. Tapar y dejar cocer a fuego bajo. Pasada 1 hora añadir a la sartén el repollo y el resto del caldo de verduras. Volver a cubrir y dejar cocer durante 50 minutos más, hasta que se ablanden tanto la carne como las hierbas.
5 Mientras tanto cocer en abundante agua salada, durante unos 30 minutos, la cebada hasta que quede blanda. Pasarla por un colador, echar algo de agua fría por encima y escurrir bien. Añadir la cebada a la cazuela caliente, dejar cocer y aderezar un poco picante con sal, pimienta y copos de chili.
6 Separar las hojas de orégano y reservar algunas para adornar. El resto de las hojas se cortan y, justo antes de servir, se echan en la cazuela caliente. Echar la cazuela en platos precalentados, rociar con alguna gota de aceite de oliva, aderezar con pimienta fresca y esparcir por encima el queso parmesano. Decorar con las hojas de orégano que se han reservado y servir.

LA OPINIÓN DE LA MEDICINA Los granos de cebada no son un producto integral, pero son una buena alternativa como acompañamiento para las patatas o el arroz. Además de hidratos de carbono (10 g /100 g) y fibra (5 g /100 g), también contienen vitamina B. Este alimento tiene un efecto rejuvenecedor sobre el cerebro, fortalece los músculos y el rendimiento intestinal, y ayuda a controlar el peso, ya que sacia mucho.

Espaguetis integrales
CON CEBOLLA A LA VAINILLA Y RICOTTA

PARA 2 PERSONAS
250 g de espaguetis integrales
200 g de cebolla roja
½ vaina de vainilla
20 g de piñones
2 ramas de albahaca
(de 15 a 20 hojas de tamaño medio)
2 cucharadas de aceite de oliva
Sal
Pimienta negra recién molida
2 pizcas de copos de chili seco
1 cucharada de mantequilla
2 cucharadas de ricotta
(queso fresco italiano)
Algunas gotas de aceite de oliva
Queso parmesano en trozos
o rallado

Tiempo de preparación: 25-30 min.

Por ración: 365 kcal
proteínas = 12 g
grasas = 16 g
hidratos de carbono = 43 g

1 Cocer *al dente* los espaguetis en abundante agua salada. Dejar reservada aparte un poco del agua de cocer la pasta y reservar. Escurrir los espaguetis. ¡No pasar por agua fría!
2 Mientras pelar la cebolla, partirla por la mitad y luego en pequeñas tiras. Cortar en sentido longitudinal la vaina de la vainilla y rallarla con la parte trasera de un cuchillo. Los piñones se tuestan durante 2 minutos en una sartén sin grasa y se colocan en un plato. Lavar la albahaca, sacudirla para que se seque, separar las hojas y cortar en pedazos.
3 Calentar el aceite de oliva en una cazuela (de 24 cm de diámetro). Rehogar la cebolla durante 6 ó 7 minutos a fuego medio y sin dejar de remover. Añadir la vaina y la ralladura de vainilla y remover todo. Añadir la pasta caliente y el agua de haberla cocido. Dejar cocer todo y aderezar con sal, pimienta y copos de chili.
4 Cortar la mantequilla en dados pequeños. Mezclar con la albahaca y los piñones y salpimentar de nuevo. Colocar los espaguetis en platos precalentados; para cada ración se agregará una cucharada de ricotta, añadir el aceite de oliva, espolvorear con parmesano y servir.

EL CONSEJO DE LA JEFA DE COCINA En lugar de espaguetis integrales, la receta también se puede preparar con espaguetis blancos hechos de sémola de trigo duro.

LA OPINIÓN DE LA MEDICINA Los espaguetis integrales se fabrican a partir del grano completo, por lo que contienen más vitaminas que los de harina blanca. La vitamina D y la fibra son muy adecuadas para mantener la piel tersa y una buena calidad del pelo, para los vasos sanguíneos y el buen funcionamiento de las células nerviosas. La fibra se ocupa de proporcionar una prolongada sensación de saciedad y, además, colabora para que se produzca una buena digestión. Los platos de pasta son, sobre todo, muy ricos en hidratos de carbono. Aportan energía con gran rapidez y son muy apropiados para consumirlos antes o después de actividades deportivas, pues sirven para recargar los depósitos de energía, es decir, los glicógenos en el hígado y los músculos. Si, en caso de un incremento de la actividad física, el organismo padeciera de carencia de carbohidratos, puede producirse una bajada de la glucosa y una disminución del rendimiento. En caso de ingerir por costumbre una alimentación rica en hidratos de carbono hay que procurar, además, que estén enriquecidos con los denominados inhibidores de la resorción, que se ocupan de que los carbohidratos no se consuman de forma muy rápida. Entre ellos encontramos, en primera línea, las grasas y los aceites.
En consecuencia, tanto el aceite de oliva utilizado como el queso ricotta también resultan muy valiosos desde el punto de vista de la medicina nutricional. ¡Por eso, a pesar de la elevada ingesta de calorías, son preventivos del sobrepeso!

Lucioperca
CON SALSA AMARILLA DE LENTEJAS Y ESPINACAS

PARA 2 PERSONAS
2 filetes de lucioperca con piel y sin escamas (de 200 g cada uno)
1 cebolla pequeña (70 g)
1 diente pequeño de ajo
200 g de espinacas (limpias salen unos 160 g)
4 cucharadas de aceite de oliva
80 g de lentejas amarillas (de venta en herbolarios)
350 ml de caldo de verduras
100 g de nata
Sal
Pimienta negra recién molida
1 pizca de polvo de curry
Sal marina, por ejemplo, «Flor de sal»

Tiempo de preparación: 15-20 min.
Tiempo de cocción: 35-40 min.

Por ración: 660 kcal
proteínas = 52 g
grasas = 39 g
hidratos de carbono = 26 g

1 Lavar el pescado con agua fría, secar con papel de cocina y, si se estima necesario, retirar las espinas de la zona central con unas pinzas. Cortar los filetes en cuatro trozos de igual tamaño y hacer dos cortes oblicuos en la piel.
2 Pelar la cebolla y cortarla en dados pequeños. Pelar el ajo, partirlo por la mitad y cortarlo en delgadas láminas. Quitar las ramas más gruesas de las espinacas, lavarlas bien y escurrirlas en un colador.
3 Calentar en una cazuela (de 24 cm de diámetro) las dos cucharadas de aceite de oliva y rehogar la cebolla durante 1 minuto hasta que tenga aspecto cristalizado. Añadir las láminas de ajo, rehogar 1 minuto más, añadir el caldo de verduras y dejar cocer. Mantener a fuego lento y remover de forma ocasional. Según la variedad, las lentejas pueden tardar 25 minutos en ablandarse. Añadir la nata y dejar al fuego. Agregar las espinacas, remover, tapar y dejar cocer durante 5 minutos. Añadir al guiso de lentejas la sal, la pimienta y el curry.
4 Salar el pescado por ambas partes. El resto del aceite de oliva se calienta en una sartén grande. Los filetes se colocan en la sartén con la parte de la piel hacia abajo y se cocinan a fuego medio durante 3 minutos. Dar la vuelta a los filetes, retirar la sartén del fuego y dejar que se acaben de hacer con el calor residual durante otros 3 minutos.
5 La verdura y las lentejas, junto con los filetes de pescado asados, crujientes y jugosos, se colocan en platos precalentados, se espolvorean por encima con pimienta recién molida y una pizca de sal marina; servir.

LA OPINIÓN DE LA MEDICINA Las lentejas son más fáciles de digerir que otras legumbres, como las judías o los guisantes. Debido a su alto contenido en proteínas (si están secas asciende al 25 ó 30%), es un alimento muy valioso desde el punto de vista de su efecto rejuvenecedor. Es digno de mención su elevado contenido en zinc. Este componente es un oligoelemento indispensable ya que, como cofactor, tiene efecto al menos sobre 50 enzimas, participa en la transferencia de señales entre las células y favorece el almacenamiento de insulina en los tejidos. Además, es antioxidante, ejerce un efecto de defensa contra los tumores y juega un papel muy importante en el sistema inmunitario. A edades avanzadas, el organismo depende de esos mecanismos de defensa, por lo que resulta esencial una ingesta suficiente de zinc.
La sal marina utilizada aquí y en otras recetas es recomendable desde el punto de vista del gusto: las pequeñas cantidades de sulfato de calcio y magnesio contenidos junto al cloruro sódico tienen poco significado médico, aunque sí culinario.

Pechuga de pato
CON SALSIFÍ NEGRO Y PUERRO

PARA 2 PERSONAS
1 pechuga de pato (unos 400 g)
Sal
Pimienta negra recién molida
1 cucharada de aceite de pepitas de uva
1 limón
500 g de salsifí negro
1 puerro pequeño (50 g)
2 ó 3 ramas de perejil
1 cucharada de mantequilla
150 ml de caldo de verdura
Pimienta de Cayena
Algunas gotas de aceite de trufa blanca
Además se necesitará
Unos guantes de un solo uso

Tiempo de preparación: 20 min.
Tiempo de cocción: 30 min.

Por ración: 610 kcal
proteínas = 40 g
grasas = 48 g
hidratos de carbono = 5 g

1 Precalentar el horno a 100 °C (con calor arriba y abajo). Lavar la pechuga de pato con agua fría, secarla con papel de cocina y, si fuera necesario, quitar las posibles plumas y tendones. La capa de grasa se corta en forma de rombo y la pechuga sólo se adereza con sal y pimienta por la parte de la carne.
2 Echar el aceite de semillas de uva en una sartén fría y colocar la carne con la parte de la grasa hacia abajo. Colocar la sartén al fuego y cocinarla durante 5 minutos a fuego medio, hasta que quede crujiente. Luego dar la vuelta y cocinar hasta que ya no se vea la carne cruda. La pechuga de pato se colocará en la rejilla del horno (en la altura central), con una bandeja debajo para que gotee la grasa dentro.
La carne se mantiene al fuego durante
40 minutos hasta que adquiera un tono rosado.
3 Mientras tanto exprimir el limón y echar el zumo y la corteza en un recipiente grande con agua. El salsifí se debe pelar con guantes, pues se forma una capa pegajosa; para poder utilizarlo después, introducirlo en el agua con limón. Cortar el salsifí negro en rodajas de ½ centímetro y volver a meter en el agua. Cortar el puerro en delgados anillos, limpiarlo y dejarlo escurrir en un colador. Limpiar el perejil, sacudirlo para que se seque, separar las hojas y reservar algunas para adornar; cortar el resto en trozos grandes.
4 Derretir la mantequilla en una cazuela (de 24 cm de diámetro), colar el salsifí y echarlo en la cazuela. Rehogar durante 2 minutos a fuego medio y aderezar con una pizca de sal. Añadir el caldo de verdura, dejar cocer, tapar y dejar a fuego lento durante unos 10 minutos. Después añadir el puerro y, sin tapar, rehogar durante 10 minutos. Aderezar al gusto la verdura con sal, pimienta negra y pimienta de Cayena, y enriquecer con perejil. Para finalizar añadir algunas gotas de aceite de trufa.
5 Sacar la pechuga del horno y cortarla en finas rodajas. Colocar junto a la verdura en platos precalentados, decorar con las hojas de perejil reservadas y servir.

LA OPINIÓN DE LA MEDICINA **El valor alimentario del salsifí negro es tan elevado como el de los guisantes o las judías. Uno de sus componentes más importantes es la fibra llamada inulina, de la que parte se disocia en el estómago en forma de fructosa y la otra parte pasa sin digerir al intestino grueso. Allí tiene un efecto probiótico, que apoya el crecimiento de bacterias favorables para la salud.**

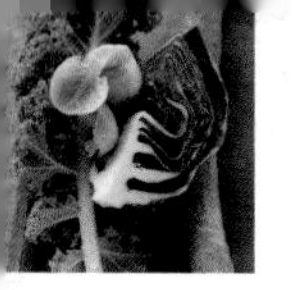

Goulash al vino tinto
CON CHALOTAS Y SETAS AL ANÍS

PARA 2 PERSONAS
500 g de carne de vacuno entreverada
200 g de chalotas
Sal
Pimienta negra recién molida
Algo de harina especial para bollería (tipo 45)
2 cucharadas de aceite vegetal
1 cucharada colmada de concentrado de tomate
¼ de litro de vino tinto fuerte, por ejemplo, un Cabernet Sauvignon
400 ml de caldo de verduras

Para las setas al anís
150 g de champiñones
2 varas de cebolletas (30 g)
1 pizca de semillas de anís
1 cucharada de aceite de oliva
1 cucharadita mantequilla
Sal marina, por ejemplo, «Flor de sal»

Tiempo de preparación: 20-25 min.
Tiempo de cocción: 2 y ½ horas

Por ración: 565 kcal
proteínas = 58 g
grasas = 23 g
hidratos de carbono = 13 g

1 Lavar la carne y secarla con papel de cocina. La grasa y los tendones no se deben retirar porque aportan muy buen sabor. Cortar la carne en dados de 4 cm. Pelar las chalotas y, según sea su tamaño, cortarlas por la mitad o en cuatro trozos en sentido longitudinal. Salpimentar la carne y rociarla con un poco con harina.
2 Calentar el aceite en una cazuela (de 24 cm de diámetro). Introducir la carne y dejarla hasta 50 minutos a fuego medio. Añadir las chalotas y rehogar durante 4 minutos. Añadir el concentrado de tomate y cocinar durante 2 minutos más. Echar un chorro de vino tinto y dejar que se evapore el líquido. Repetir ese proceso dos o tres veces y dejar en todos los casos que el vino hierva. Añadir el caldo de verdura, dejar cocer, tapar y dejar a fuego lento durante 2 horas, hasta que la carne esté blanda.
3 Mientras tanto lavar los champiñones, frotarlos con papel de cocina y, según sea su tamaño, partir por la mitad o en cuatro trozos. Lavar las cebolletas y cortarlas en finos anillos. Triturar el anís en un mortero, de modo que no quede demasiado fino.
4 Antes de servir, calentar en una sartén grande una cucharada de aceite de oliva. Rehogar allí los champiñones durante 2 minutos a fuego fuerte o medio, añadir las cebolletas y cocinar durante 1 minuto más sin dejar de remover. Para finalizar añadir la mantequilla, saltear y aderezar las setas con sal marina, anís y pimienta.
5 Salpimentar el goulash y, junto con las setas, colocarlo en platos precalentados y servir. Como acompañamiento se puede utilizar arroz cocido, patatas o pasta.

EL CONSEJO DE LA JEFA DE COCINA **En lugar de las exquisitas chalotas también se pueden utilizar cebollas normales, de uso más frecuente en el hogar.**

LA OPINIÓN DE LA MEDICINA **Tomado con moderación, el vino tinto posee una gran cantidad de características positivas gracias a su contenido en sustancias vegetales secundarias. Las más conocidas son el resveratrol, la quercetina y la procianidina, tres antioxidantes con muy diversos efectos para fortalecer la vitalidad. En experimentos realizados con animales, el resveratrol ha mostrado un efecto de prolongación de la vida. La procianidina protege contra las enfermedades cardiocirculatorias y, tal como han demostrado estudios recientes, también frente al sobrepeso (adipositas) y el síndrome metabólico. La quercetina es un flavonoide que también se encuentra en las cebollas, las manzanas, el brécol o las judías verdes, y tiene efectos antioxidantes y rejuvenecedores. Además, la quercetina incrementa la fuerza muscular y la capacidad mental.**

Medallones de corzo
CON GRATINADO DE APIO Y ARÁNDANOS ROJOS

PARA 2 PERSONAS
2 medallones de corzo (de la zona del muslo, de 250 g cada uno), preparados para cocinar (pedir que retiren los tendones)
2 ó 3 ramas de tomillo
4 pizcas de hierbas silvestres
Sal
Pimienta negra recién molida
2 cucharadas de aceite vegetal
250 g de coles de Bruselas
1 cucharada de mantequilla

Para el gratinado de apio
200 g de apio
400 g de patatas harinosas para cocer
100 ml de caldo de verduras
150 g de nata
Nuez moscada recién rallada
60 g de queso rallado, por ejemplo, Emmental
3 cucharadas de nata para rociar

Para los arándanos rojos
40 g de arándanos rojos, frescos o congelados
50 ml de zumo de arándanos rojos
(de venta en herbolarios)
50 ml de oporto rojo
1 cucharada de azúcar
1 pizca de harina integral de algarroba (de venta en herbolarios)

Además se necesitará
Hilo de cocinar

Tiempo de preparación: 25-30 min.
Tiempo de cocción: 1 hora

Por ración: 940 kcal
proteínas = 63 g
grasas = 55 g
hidratos de carbono = 41 g

1 Precalentar el horno a 100 °C (con calor arriba y abajo). Lavar la carne con agua fría y secar con papel de cocina. Atarla con hilo de cocinar para que mantenga la forma al cocinarla.
2 Lavar el tomillo y sacudirlo para que se seque. Reservar una rama para adornar. Aderezar la carne con las hierbas silvestres, sal y pimienta. Calentar el aceite vegetal en una sartén. Introducir allí la carne y las ramas de tomillo, cocinar durante 1 minuto, dar la vuelta y continuar 2 minutos más. La carne y el tomillo se colocarán en la rejilla del horno (en la bandeja central) con un recipiente debajo para recoger la grasa que gotee. Dejar al fuego los medallones de corzo durante 50 minutos.
3 Entre tanto lavar y pelar y las patatas y el apio; cortar en sentido longitudinal y en rodajas de ½ centímetro de grosor. Echar en una cazuela (de 24 cm de diámetro) el caldo de verduras y la nata, aderezar con sal, pimienta y nuez moscada, y llevar a ebullición. Tapar. Dejar a fuego lento durante 15 minutos y remover de forma ocasional.
4 Lavar las coles de Bruselas, cortar los extremos y separar las hojas. Introducir estas hojas en abundante agua salada hirviendo y mantener durante 7 minutos. Pasarlas por un colador, echar agua fría y dejar que se escurran bien.
5 Lavar los arándanos y escogerlos. El zumo de arándanos rojos, el oporto y el azúcar se echan en una cazuela pequeña (de 18 cm de diámetro) y se llevan a ebullición; dejar cocer durante 2 minutos a fuego medio. Echar por encima los arándanos rojos y la harina integral, dejar al fuego otros 2 minutos más y retirar.
6 Sacar la carne del horno y reservar. Colocar el horno en la función de gratinado. Salpimentar de nuevo la verdura, colocar en un molde, espolvorear con queso y tres cucharadas de nata. Meter en el horno (en la bandeja central) durante 6 minutos hasta que adquiera un tono marrón en el exterior.
7 Derretir la mantequilla en una sartén, rehogar en ella la carne durante 1 minuto y echar por encima la mantequilla. Sacar la carne de la sartén y reservarla. Usar la misma sartén para cocinar durante 1 minuto las coles de Bruselas y salpimentar. Cortar en delgados medallones, colocarlos en un plato junto a los arándanos rojos y las coles de Bruselas, adornar con el tomillo que se tiene apartado y servir junto al gratinado de puerro.

Albondigones de col verde
CON SALSA DE MOSTAZA

PARA 2 PERSONAS
2 rebanadas de pan integral (50 g)
100 ml de leche (1,5 % de M.G.)
1 cebolla (90 g)
1 cucharadita de mantequilla
250 g de col verde
250 gramos de carne picada de vacuno y cerdo
1 huevo (tamaño M)
Sal
Pimienta negra recién molida
Pimienta de Cayena
1 ó 2 pizcas de cominos molidos
2 cucharadas de aceite de oliva
Para la salsa de mostaza
1 cucharada de aceite de oliva
2 cucharaditas de mostaza en grano
100 ml de caldo de verdura
100 g de nata

Para la salsa de mostaza
1 cucharada de aceite de oliva
2 cucharaditas de mostaza en grano
100 ml de caldo de verdura
100 g de nata

Tiempo de preparación: 50 min.

Por ración: 760 kcal
proteínas = 37 g
grasas = 59 g
hidratos de carbono = 20 g

1 Cortar las rebanadas de pan integral en dados de 1 centímetro de tamaño. Templar la leche y rociarla sobre los dados de pan. Pelar la cebolla y cortarla en trozos pequeños. Calentar la mantequilla y, durante 10 minutos, rehogar la mitad de la cebolla en ella hasta que adquiera un aspecto cristalizado.
2 Eliminar el tronco de la col, introducirla en agua salada hirviendo y dejar cocer durante 10 minutos hasta que se ablande. Pasarla por un colador, echar agua fría, prensarla bien con las manos y luego cortarla sobre una madera.
2 Mezclar la carne picada, el huevo, la cebolla rehogada y el pan, aderezar con sal, pimienta negra, pimienta de Cayena y cominos. Para finalizar, echar la col cortada y remover bien. Con las manos húmedas separar de la masa con carne picada 6 bolas de unos 90 g cada una y luego darles forma aplanada.
4 Calentar el aceite de oliva en una sartén grande, cocinar los albondigones durante 4 minutos a fuego medio, dar la vuelta y continuar 4 ó 5 minutos más a fuego lento. Darle la vuelta de vez en cuando y colocar los trozos de tal forma que también se hagan por los bordes.
5 Para la salsa de mostaza, en una pequeña cacerola (de 18 cm de ø) se rehoga el resto de la cebolla en aceite de oliva caliente durante unos 2 minutos, hasta que adquiera un aspecto cristalizado. Añadir la mostaza. Echar el caldo de verduras, cocinar 4 minutos a fuego medio, incorporar la nata y dejar cocinar durante otros 5 minutos más. Salpimentar la salsa y licuarla bien con una batidora.
6 Los albondigones de color verde con salsa de mostaza se colocan en platos precalentados y se sirven, por ejemplo, con patatas en puré (véase «El consejo de la jefa de cocina») y cebolla crujiente.

EL CONSEJO DE LA JEFA DE COCINA **Las patatas cocidas se pueden aplastar con un prensapurés o un machacador de patatas, se le añaden 1 ó 2 cucharadas de mantequilla, sal y nuez moscada, y se sirven junto a los albondigones de col.**

LA OPINIÓN DE LA MEDICINA **El alto contenido en vitamina C (100 mg/100 g) de la col verde se mantiene en parte aunque se almacene y luego se cocine. Otros componentes son los carotinoides y la vitamina E. Por esa razón, este tipo de verdura es muy apropiado en invierno como suministrador de antioxidantes. La col verde también es una buena fuente de ácido fólico que, junto con las vitaminas B_6 y B_{12}, son de gran necesidad a edades avanzadas para la prevención contra la arteriosclerosis. 200 g de col verde cubren las necesidades diarias de ácido fólico de un adulto.**

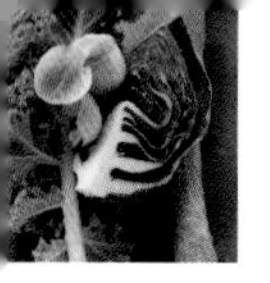

Pastelitos de quark
CON ESPINO AMARILLO Y NARANJA SANGUINA

PARA 10 PORCIONES

Para la masa de los pasteles
2 huevos (tamaño M)
4 cucharadas de azúcar (80 g)
Sal
3 cucharadas de harina especial para bollería (tipo 45; unos 60 g)
1 cucharadita colmada de almidón

Para la masa del quark
70 g de azúcar glas
1 huevo (tamaño M)
150 g de quark desnatado
150 g de yogur (3,5 % de M.G.)
4 hojas de gelatina blanca
5 naranjas sanguinas o normales
3 cucharadas de zumo de espino amarillo (de venta en herbolarios)
350 g de nata
Algunas gotas de licor de naranja
150 g de confitura de albaricoque

Además se necesitarán
Papel para hornear
Un molde con bordes desmontables (de 25 x 17 cm)
Una espumadera cuadrada

Tiempo de preparación: 35-40 min.
Tiempo de reposo: una noche
Tiempo de cocción: 8 min.

Por ración: 310 kcal
proteínas = 7 g
grasas = 14 g
hidratos de carbono = 38 g

1 Precalentar el horno a 180 °C (con circulación de aire). Separar las claras de los huevos de las yemas. Batir dos cucharadas de azúcar durante 10 minutos sirviéndose de una varilla eléctrica. Las claras se baten a punto de nieve con una pizca de sal. Luego se les agrega, poco a poco, el azúcar restante. La harina se mezcla con el almidón y luego se tamiza. Con sumo cuidado se incorporan las claras a punto de nieve a la mezcla de las yemas, se añade la harina tamizada y se mueve todo con una espátula.

2 Cubrir una bandeja de horno con papel de cocina y, con la ayuda de una espumadera cuadrada, se extiende la masa hasta conseguir un rectángulo de 1 cm de altura. Cada lado del rectángulo debe medir unos 2 cm más que el borde del molde que vayamos a utilizar, pues la masa se contrae durante el proceso de horneado. Meter la masa del bizcocho en el horno precalentado y dejar allí durante 8 minutos hasta que adquiera un tono marrón dorado. Sacar del horno. Dar la vuelta, dejar enfriar sobre una madera y retirar con cuidado el papel de cocina.

3 Batir hasta que el huevo y el azúcar glas queden espumosos. Mezclar el quark y el yogur. Ablandar la gelatina en agua fría. Pelar las naranjas de tal forma que incluso se quite la piel blanca del interior. Retirar los gajos de las pieles intermedias. Guardar en un recipiente el zumo que salga y después exprimir los restos de la naranjas para obtener la mayor cantidad posible de jugo. Incorporar 1/5 del zumo de naranja, junto con el zumo de espino amarillo, a la masa del quark.

4 No batir mucho la nata. Calentar la gelatina en una cazuela pequeña y disolver. Echar un cucharón pequeño de nata en la gelatina para equilibrar la temperatura. Esta nata se incorpora a la masa de quark a la que luego se añade el resto de la nata.

5 La base de bizcocho se coloca en una tabla cubierta con papel de cocina de un tamaño adecuado para que luego quepa en la nevera. Colocar encima el molde y retirar los bordes de masa que sobren. La base del bizcocho se empapa con unas gotas de licor de naranja. Echar por encima la masa de quark, extenderla y dejar que se enfríe durante 2 horas.

6 Calentar la confitura de albaricoque con 5 cucharadas de zumo de naranja, remover y dejar enfriar. Los gajos de naranja se dejan escurrir en un colador y se colocan sobre la superficie de quark.
A continuación se extiende por encima la confitura de albaricoque. Lo mejor es dejar que el bizcocho se enfríe durante toda una noche. Para servir, desprenderlo con mucho cuidado del molde y luego proceder a cortar las correspondientes raciones.

Bombones de fruta seca
CON CHOCOLATE Y HOJAS DE PAN DE ORO

PARA 24 BOMBONES
160 g de fruta seca mezclada: higos, albaricoques, ciruelas, anillos de manzana y dátiles
120 g de cobertura de chocolate amargo
30 g de láminas de almendra
2 pizcas de azúcar de vainilla
2 hojas de pan de oro (23 y ¾ quilates)
Además se necesitarán
Papel para hornear
Pueden usarse unos moldes de canastillas para bombones

Tiempo de preparación: 50 min.

Por ración: 50 kcal
proteínas = 1 g
grasas = 3 g
hidratos de carbono = 7 g

1 Si es necesario, retirar los huesos de la fruta y cortarla en tiras pequeñas.
2 Cortar la cobertura de chocolate amargo en trozos grandes, ponerla en un recipiente de metal y derretirla muy despacio al baño María. Remover la pasta de vez en cuando con una cuchara de madera y, tan pronto como esté fluida, sacarla del baño y dejarla enfriar a temperatura ambiente. Para comprobar la textura, se puede depositar un poco de cobertura líquida en el labio inferior. Si se nota un poco templada, servirá muy bien para cubrir. Si está demasiado caliente, al enfriarse adquirirá un tono grisáceo.
3 Echar las almendras en una sartén pequeña y fría con dos cucharadas de agua templada y el azúcar de vainilla, calentar y dejar 2 minutos al fuego. Sacar de la sartén y dejar enfriar. Mezclar la fruta seca con las almendras, echar por encima la cobertura y remover bien.
4 Preparar con un tenedor unos cuantos montones pequeños de almendras y chocolate, colocar en una bandeja que haya sido cubierta con papel de hornear y mantener allí durante 30 minutos para que se solidifique. Decorar con el pan de oro (véase «El consejo de la jefa de cocina») y servir como exquisitos dulces de Navidad.

EL CONSEJO DE LA JEFA DE COCINA Eso de utilizar oro auténtico en la cocina es algo poco conocido. Pero de hecho, el oro puro, es decir, el de 23 y ¾ quilates, se puede ingerir sin ningún problema. El oro no debe ser cocinado, sino que siempre se utiliza a modo de decoración antes de servir el plato. A la hora de colocar el pan de oro, se utiliza un pincel especial que se vende en tiendas especializadas en artículos de arte. La hoja de oro, que es muy delgada, se separa del papel sirviéndose del pincel y se coloca sobre la comida. El pincel debe estar cargado con electricidad estática para que se adhiera a él el pan de oro, lo que se puede conseguir al frotarlo con la piel.

LA OPINIÓN DE LA MEDICINA Desde un punto de vista botánico, las almendras no son un fruto seco, sino una fruta con hueso. Contienen aceite de almendras, algo de azúcar y sobre todo micronutrientes, como las vitaminas B, C y E, el ácido fólico, el calcio, el magnesio y el potasio. Los estudios epidemiológicos indican que con un consumo regular de almendras y frutos secos se consigue mantener saludable el sistema cardiocirculatorio.
Los dátiles, los higos y otras muchas frutas secas, muy ricas en fibra, regulan la función digestiva, que es un tema de salud muy a tener en cuenta en la segunda mitad de la vida. La mejor prevención es una alimentación rica en fibra, un presupuesto hídrico equilibrado y la práctica regular de ejercicio.

Para consultar

Índice alfabético

Índide de recetas

Índice de alimentos

Para las recetas se mencionan todos los ingredientes que merecen especial atención con respecto a sus efectos revitalizantes y rejuvenecedores. Las plantas, las especias y los condimentos son todos ellos, por regla general, muy beneficiosos para la salud y sólo se citan en determinados casos muy especiales.

CRÉDITOS

Dr. Stephan C. Bischoff

Después de sus estudios en Medicina en Mainz y Estrasburgo, Stephan Bischoff siguió su carrera profesional como asistente científico de Inmunología Clínica en la Clínica Universitaria de Berna (Suiza); a partir de 1992 fue médico y después director médico del Departamento de Gastroenterología en la Universidad Médica de Hannover antes de obtener la suficiencia académica para ser nombrado profesor universitario y médico especialista de medicina interna, alergología, gastroenterología y medicina nutricional. En 2002 alcanzó el galardón internacional Award Pharmacia por sus investigaciones sobre la alergia y en 2004 se le nombró profesor titular de la cátedra de Medicina Nutricional y Prevención de la Universidad Hohenheim, de Stuttgart. Desde 2007, el profesor doctor Bischoff es director gerente del Instituto de Medicina Nutricional de la Universidad Hohenheim y director médico delegado de los centros de Medicina Nutricional de las universidades Hohenheim y Tübingen.

Monika Schuster

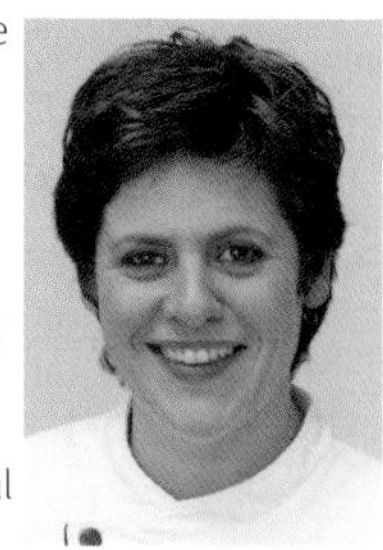

Es diplomada y fue galardonada con el premio del Estado de Baviera en maestría culinaria y cocina dietética. Después de ser durante muchos años la directora comercial de Dallmair, el restaurante muniqués paraíso de los sibaritas, en la actualidad está muy solicitada por los almacenes, la publicidad, la industria y la televisión. Como responsable para el *Food Stilyng* ha diseñado recetas para renombrados cocineros como Eckart Witzigmann, Alfons Schubeck, Otto Koch y Alexander Herrmann. Su marca identificativa más notable es el extraordinario buen gusto de sus sencillas y refinadas recetas que sirven tanto para el día a día como para acontecimientos especiales. Su lema es: «La fotografía de un plato no sólo debe tener buen aspecto, sino que incluso la propia comida debe transmitir su apetitoso y adecuado sabor».

Fotografías

Eising Foodphotography
Fotógrafa: Martina Görlach
Foodstyling: Monika Schuster
Requisite: Ulla Krause

Créditos de las fotografías

Bananastock: pág. 4, Jürgen Christ: pág. 5, Photex: pág. 8, Grafik Atelier Riedinger: pág. 9 (2), Teubner Cucina Italia: pág. 10, 22, Max Power: pág. 12, Ingrid Schobel: pág. 13,16, Marcel Weber: pág. 19, Friedrich Stark: pág. 20, Studio L'Eveque: pág. 23, Corbis: pág. 24, 36, Teubner: Das große Buch vom Obst: pág. 27, Martina Sandkühler: pág. 28, Teubner: Asiatisch Kochen: pág. 31, Ulrike Holsten: pág. 32, FoodPhotography Eising: pág. 34

La receta de la fotografía de la portada se encuentra en la página 46

Título de la edición original **Vitalküche für Genießer**

Editorial Hispano Europea, S. A.
Primer de Maig, 21 - Pol. Ind. Gran Via Sud - 08908 L'Hospitalet - Barcelona, España.
E-mail: hispanoeuropea@hispanoeuropea.com
Web: www.hispanoeuropea.com

Depósito Legal: B. 469-2010

ISBN: 978-84-255-1904-8

Impreso en España
Limpergraf, S. L.
Mogoda, 29-31 (Pol. Ind. Can Salvatella) - 08210 Barberà del Vallès